世纪中国论坛典藏文库

制度、制度变迁与经济绩效

Institutions, Institutional Change and Economic Performance

Douglass C. North
[美]道格拉斯·C. 诺思 著　杭行 译　韦森 译审

格致出版社　上海人民出版社

出版说明

出版作为人类思想和智慧的凝结，集聚了发明创造和社会实践的经验与成果，推动了人类文明进步。飞速发展的数字和互联网技术并未削弱出版业的这一功能，反而前所未有地促进了其创新发展。

长期以来，上海世纪出版集团始终以弘扬主旋律、引领学术思潮、关注时代命题为己任，并围绕中国发展的重大事件、重大战略决策和重大理论问题举办“世纪中国论坛”。结合2016年“世纪中国论坛”，上海世纪出版集团融合移动端、语音端等新技术，以纸电一体同步发布的方式隆重推出《世纪中国论坛典藏文库》，实现了出版方式与互联网、新技术、新模式的融合发展，表达了出版人在奉献好书的同时，努力践行社会责任、文化理想的使命追求。

《世纪中国论坛典藏文库》聚焦中国经济的长期增长主题，荟萃了诺贝尔经济学奖得主、熊彼特奖得主和中国经济学杰出贡献奖得主等中外著名经济学家的扛鼎之作，著译并重，经典闪耀。

著名经济史学家安格斯·麦迪森早在1998年出版的《中国经济的长期表现》英文版中就预言，中国可能在2015年成长为世界最大的经济体，从而恢复它在 1890 年之前所享有的世界经济地位。2014 年，在《中国的奇迹：发展战略与经济改革》出版 20 周年之际，经济学家林毅夫在为图书新版撰写的长篇序言中特别指出："出乎主流经济学界预料之外的是，中国经济在此书出版后 20 年却基本沿着我们在书中所预测的增长轨迹前进。"

然而，中国经济自 2012 年增速明显减慢，国内生产总值（GDP）增长率一直处于下行趋势。经济学家们所预言的奇迹或增长赖以产生的基础是否改变？对于未来，我们是否还有足够的信心？

首届中国经济学杰出贡献奖得主吴敬琏在专著《中国增长模式抉择》第一版（2005 年）中，就指出了转型、结构调整不能取得成效的很多具体原因，归结到一点，就是存在体制性障碍，核心内容就是政府仍然在资源配置中起决定性的作用，抑制或排除了市场的作用。他在第四版的序言中写道："中国在 21 世纪面对着两个必须解决的问题，一个是体制改革，一个是发展转型。"

无独有偶，中国经济改革研究的先驱巴里·诺顿在《中国经济：转型与增长》一书中，全面描述和评价了 1949 年以来的中国经济，并把中国的制度转型放在经济增长的大框架里论述，既突出了转型对中国经济增长的必要性，也突出了转型对中国经济增长的促进作用。

显然，制度转型不可能一蹴而就。诺奖得主道格拉斯·诺思和斯坦福大学教授青木昌彦在各自的经典作品《制度、制度变迁与经济绩效》与《比较制度分析》中，分别从东西方的不同视角阐释了制度的内涵，揭示了制度在经济发展和绩效中的作用。

公共选择理论的奠基者曼瑟·奥尔森的遗著《权力与繁荣》则提出了“强化市场型政府”这一分析经济增长的前沿性概念，为金融危机后的亚洲以及其他发展中国家的治理演变和经济政策提供了有用的分析框架。

对于那场起始于亚洲的金融危机，沈联涛用《十年轮回：从亚洲到全球的金融危机》一书进行了详细的解剖，并警示我们2017年可能发生的另一场全球金融危机。对于可能引发危机的高杠杆问题，瑞典的邓达德等在《新国富论：撬动隐秘的国家公共财富》一书中给出了全新的解决方案，并因此被《经济学人》和《金融时报》推荐为2015年度图书。

根据“十三五”规划的蓝图，中国经济将保持中高速增长，到2020年国内生产总值和城乡居民人均收入比2010年翻一番。2015年11月，习近平总书记提出要着力加强供给侧结构性改革，这是实现收入翻番的必由之路，其目标就是通过消除生产要素供给能力和配置效率以及全要素生产率提高的体制性障碍，消除经济运行中不平衡、不协调、不可持续的因素，一方面挖掘传统增长动能的潜力，另一方面开启新的可持续增长动能，最终实现经济增长方式的转变。正如习近平总书记指出的：“中国共产党人和中国人民完全有信心为人类对更好社会制度的探索提供中国方案。”我们将以出版更多的精品力作传播道路自信、理论自信、制度自信和文化自信，为实现中华民族伟大复兴的中国梦作出贡献。

《世纪中国论坛典藏文库》编委会

2016年7月

代译序

——再评诺思的制度变迁理论

“经济学家们已经正确地认识到经济学是一种选择理论。然而，要改善人类的前景，我们必须理解人类决策的来源。这是人类生存的一个必要条件。”

——诺思(North,2005,p.170)

(一)

对于诺贝尔经济学奖得主之一道格拉斯·C.诺思(Douglass C. North——一译“道格拉斯·C.诺斯”)以及他的制度变迁理论，国内经济学界以及其他社会科学界的许多人目前应该说都比较熟悉了。这主要是因为，诺思的几本主要著作——包括这本《制度、制度变迁与经济绩效》——以前都有过数种中译本，以至于诺思本人的一些理论洞见，业已成了许多高校的经济学教师、经济学专业的高年级本科生和研究生们耳熟能详的现代经济学常识了。另外，除诺思本人的文著大都有了中译文本之外，自1995年以来，诺思教授也曾多次来过中国，并曾在北大、复旦、清华等高等学校做过讲演，宣讲他的制度变迁理论的一些主要观点；国内一些经济学人（包括我自己，见韦森，1999a，1999b，2001；Li，2003）也在过去的十多年中对诺思的理论做了一些介绍和评论。随着新制度经济学（New Institutionalism）前些年在中国经济学界大行其道，尤其是在诺思与罗伯特·福格尔（Robert W. Fogel）于1993年获得诺贝尔经济学奖之后，诺思的一些理论发现比较快地在国内经济学界得到传播，因而诺思本人也已经成为在中国经济学界引用率最高的当代经济学家之一。

诺思于1920年11月5日生于美国马萨诸塞州的剑桥，父亲是一家城市人寿保险公司的经理。少年时期，诺思曾随父母在美国的康涅狄格州、加拿大的渥太华、瑞士的洛桑以及美国纽约居住过，并在这些地方读过小学和中学。后来，诺思进入加州大学伯克利分校学习，并在此期间成了“马克思理论的一个笃信者”（a convinced Marxist）。1942年，诺思从加州大学伯克利分校获学士学位。据诺思自己讲，他在加州大学读本科期间，选的是“政治学、哲学和经济学三学位”（a triple major）。从加州大学伯克利分校毕业后，诺思加入了美国海军（U. S. Merchant Marine），曾作为导航指挥官（Instructor of Celo-Navigation）到过澳大利亚和一些太平洋岛国。在此期间，诺思开始喜欢上摄影，并在业余时间继续读书，随之逐渐确立了未来成为一个经济学家的志向。第二次世界大战结束后，诺思回到了加州大学伯克利分校，并于1952年获加州大学伯克利分校的经济学博士学位，其博士论文是有关美国人寿保险史方面的研究。毕业后，诺思先在加州大学伯克利分校留校任教，之后在1950年转到华盛顿大学西雅图分校执教，历任助理教授、副教授，并于1960年升任为教授。1959年至1961年期间，诺思曾担任华盛顿大学经济研究所执行所长。1979年秋，诺思转教于美国赖斯大学（Rice University）。1981年至1982年，诺思曾任教于英国剑桥大学，被聘为美国制度研究Pitt讲座教授（the Pitt Professor of American Institutions）。1983年，诺思重新回到华盛顿大学圣路易斯分校，任该大学经济系法律、自由和经济史Luce讲座教授。1984年，诺思在华盛顿大学圣路易斯分校创建了政治经济研究中心，并在其后的6年中一直担任该中心主任。自1996起，诺思荣任华盛顿大学圣路易斯分校的艺术和科学Spencer T. Olin讲座教授。自20世纪80年代以来，诺思曾兼任斯坦福大学行为科学高级研究中心的研究员(1987—1988年)和美国胡佛研究所(Hoover Institution)的Bartllett Burnap高级研究员(1997—现在)。

诺思的主要著作有:《1790年至1860年美国的经济增长》(North, 1961),《美国过去的增长与福利:一种新经济史》(North, 1966),《制度变迁与美国的经济增长》(North & Davis, 1971),《西方世界的兴起》(North & Thomas, 1973),《经济史中的结构与变迁》(North, 1981),《制度、制度变迁与经济绩效》(North, 1990a)以及《理解经济变迁过程》(North, 2005)等。除上述著作外，自20世纪50年代以来，诺思教授还在一些国际学术刊物上发表了大量学术论文，从而逐渐形成了他的新经济史理论和大视角的制度变迁理论。1993年，诺思因为其“用经济理论和数量方法来解释经济和制度变迁从而在经济史方面的新的研究”，与福格尔一起获诺贝尔经济学奖。

(二)

《制度、制度变迁与经济绩效》是诺思教授本人最主要的理论著作之一，该书于1990年由英国剑桥大学出版社出版。这部著作既是诺思本人最重要的理论著作，亦业已成为当代制度经济学理论中的一部经典文献。美国前政治学会会长和任美国斯坦福大学政治学系主任多年的温加斯特(Barry W. Weingast)教授曾对这部著作予以甚高的评价，说它“引起了主导20世纪90年代的理解制度的一场革命”[参见载于《理解经济变迁过程》封底的温加斯特对诺思这部著作(North, 2005)的评介语]。诺思教授的这部英文著作，在1994年差不多同时出版了两个中译本：一是台湾时报文化出版公司的译本，译者为诺思自己的学生、目前在台湾"清华大学"经济系执教的刘瑞华教授[①]；二是上海三联书店出版的刘守英博士的一个中译本。"刘瑞华译本"目前只在中国大陆的少数大型图书馆中偶有藏书；而"刘守英译本"最初也只是印行了3 000册，且在中国大陆的许多大学的图书馆中已经很难查得到了。由于诺思教授这部制度经济学经典著作的"二刘译本"目前在中国大陆均已很难查到，上海世纪出版集团格致出版社的同仁邀请我和我的同事杭行教授来重新翻译这部学术名著。很显然，这个"杭译本"已经是诺思教授的这部学术专著的第三个中译本了。作为译者、审校者和出版人，我们诚挚地希望，诺思教授的这部《制度、制度变迁与经济绩效》的新中译本，能够达及对社会制度现象与制度变迁问题感兴趣的中国学人的书架和案头，并成为一本较为可信的中译本。

为了让读者对诺思教授的制度变迁理论有一个大致的理解，我谨在此对这部著作的逻辑架构及其重要的理论发现做一些概要性的介绍和评述，并在第3部分对诺思本人自20世纪90年代以来的新的理论贡献做一些粗略的评介。

正如这部学术专著的题目《制度、制度变迁与经济绩效》所表示的，本书的内容也分为三个部分：第1篇探讨了制度研究的方法基础，并随之解释了制度的基本概念；第2篇阐述了制度变迁的一般理论；第3篇则着重分析制度对经济绩效(economic performance —— 一译"经济实绩"、"经济表现"或"经济成就")的影响。

在第1篇第1章一开始，诺思(North，1990a，p. 1)就开宗明义地道出了他对制度(institutions)概念的基本理解："制度是一个社会的博弈规则，或者更规范一点说，它们是一些人为设计的、型塑人们互动关系的约束。"诺思接着指出："制度变迁(institutional change)决定了人类历史中的社会演化方式，因而是理解历史变迁的关键。"在这部著作中的其他地方以及在这部著作之前和之后的文著中，诺思(North，1993，p. 62)也曾一再指出，按照他自己的理解，"institutions"[②]基本上由三个基本部分构成："正式的规则、非正式的约束（行为规范、惯例和自我限定的行事准则）以及它们的实施特征（enforcement characteristics）[③]。"有了对人类社会的制度现象的这样一个基本认识，在这部著作中，诺思首先讨论了制度分析方法论基础中的三个基石性问题，即人类合作、制度分析中的行为假定，以及人类交换中的交易费用（transaction costs）问题。在对新古典经济学中人的最基本的行为假设——即在一个无制度存在的（institution-free）假设环境中做理性选择——进行一些讨论后，诺思（North，1990a，p. 20）主张："我们必须深入分析人类行为的两个具体方面：（1）动机；（2）对环境的辨识（deciphering）。"照诺思看来，人类行为要远比蕴涵在新古典经济学范式内部的个人效用的"理性最大化"来得复杂。在许多情况下，人们不仅有财富最大化行为，还有利他主义（altruism）和自我约束的行为，而这些不同动机会极大地改变人们实际选择的社会结果。诺思还认为，人们是通过某些先存的心智构念（preexisting mental constructs）来处理信息和辨识环境的，因而这些先存的心智构念对制度的形成、维系和变迁，都有着重要影响。诺思深刻地指出，由于在人类的社会互动过程中每个人所拥有的有关他人行为的信息均是不完全的，因而每个人在社会选择中处理、组织以及利用信息时均存在着一定的心智能力上的局限，而"人的这种心智能力与辨识环境时的不确定性结合在一起，便演化出了旨在简化处理过程的规则和程序，由此而形成的制度框架则通过结构化（structuring）人们的互动，限制了行为人的选择集合"（North，1990a，p. 25）。结果，在人类社会历史的发展长河中便形成了各种不同的制度，并产生了人类社会变迁中的路径依赖（path dependence）[④]和锁入（lock-in）效应等等。

在谈到交易费用范式在制度研究中的意义时，诺思认为，由于人们在市场交换和社会交往中的信息不完全，因而人类总是存在于各种各样的"institutional matrix"[⑤]之中，或者换句话说——人类不是生活在一个"制度缺失"的世界之中，那么，按照科斯（Ronald Coase）的交易费用（transaction costs）理论，制度问题就极其重要了。根据这一点，在第4

章一开头，诺思(North，1990a，p. 27)就明确指出："我的制度理论是建立在一个有关人类行为的理论与一个交易费用的理论相结合的基础之上的。当我们将这二者结合在一起时，我们就能理解诸种制度何以会存在，以及它们在社会运行中发挥了何种作用。"

在对自己的制度变迁理论研究进路的基本方法论基础——即人类行为理论和交易费用理论——进行了较为深入的解说之后，诺思在这部书第1篇的第5—7章三章中分别探析了他所认为的人类种种"institutions"的三个基本构成部分，即正式规则、非正式约束以及二者的实施特征。值得注意的是，诺思在这部书中是先从"非正式约束"来开始他所理解的制度构成的理论剖析的。为什么研究制度问题要从分析非正式约束开始呢？对此，诺思(North，1990a，p. 36)在第5章中给出了他自己的理由：即使在像当代西方国家这样法治比较健全的发达经济体中，正式规则也只是型塑人们社会选择之约束的很小一部分(尽管非常重要)，而人们社会交往和经济交换中的非正式约束则普遍存在。诺思还认为，在人类社会诸种文化传统中所逐渐形成的一些非正式约束，包括人们的行事准则(codes of conduct)、行为规范(norms of behavior)以及惯例(conventions)等等，无论是在长期，还是在短期，都会在社会演化中对行为人的选择集合产生重要影响。加之，由于从文化中衍生出来的非正式约束往往并不会对正式规则的变化作出即时反应，因而这些非正式约束嵌套在(nested in)其中的文化则会在"制度的渐进演化方面起着重要作用，从而成为了路径依赖的根源"(North，1990a，p. 45)。

在对人类社会交往中的一些非正式约束做了较详尽的探讨和文献回顾之后，诺思在第6章接着探讨了正式约束及其在经济运行绩效中的作用。按照诺思(North，1990a，p. 47)的理解，"正式规则包括政治(和司法)规则、经济规则和契约。这些不同层次的规则——从宪法到成文法、普通法，到具体的内部章程，再到个人契约——界定了约束，从一般性规则直到特别的界定"。诺思还认为，一般而言，政治规则决定经济规则，换句话说，产权以及由此产生的个人契约一般是由政治决策过程所界定并实施的。当然，诺思也认为，经济利益结构也会对政治结构产生影响，因而他提出，“规则来源于自利”，从而“规则的设计通常将服从成本(compliance costs)考虑在内”(North ，1990a，p. 48)。根据这一思路，诺思提出了一个正式规则的理性设计思路：规则制定者就像一个有歧视性偏见的垄断者(discriminating monopolist)那样行事，他为不同的选民群体提供一定程度的保护与正义，并设计和保护产权；而作为回报，统治者将获得税收收入。诺思还指出，人们通常认为，政体从只有单个、绝对的统治者到民主政府的演化，会提高政治效率。持这一思路的人相信，民主政府能使民众越来越多地参与到政治决策的过程当中，从而剥夺了统治者任意敛财的权力，并且建立起了一个独立的司法机构来作为契约实施的第三方，其结果确实是提高了政治效率。但是，诺思也认识到，尽管正式的政治规则与正式的经济规则一样均是为促进交换而被设计出来的，但却不能把政治体系中的民主等同于经济体系中的竞争性市场。另外，选民的理性无知(rational ignorance)和政治市场上的高额交易费用，“似乎更容易产生那些无法引致经济成长的产权，而随之产生的组织则可能根本没有创造出一些更具生产性的经济规则的动力”(North，1990a，pp. 51—52)。根据上述认识，诺思(North，1990a，p. 53)得出了以下重要结论：“尽管明确的规则能给我们提供一个检验在不同条件下经济体绩效的实证数据的基本来源，然而这些规则与绩效之间事实上并不存在严格的一一对应关系。”

在对非正式约束和正式规则进行了一些探讨之后，诺思在第7章专门探讨了契约的实施问题。在第7章一开始，诺思(North，1990a，p. 54，ft. 1)就特别指出，他的研究思路与威廉姆森(Oliver Williamson)的交易费用研究进路是有着重大区别的。这主要是因为，尽管威廉姆森也假定实施是不完美的(否则机会主义的选择就不值得)，但在他的研究中却并未将其处理为一个明确的变量。诺思认为，像威廉姆森这样对“实施”问题的处理方法，根本不能帮助人们理解人类社会历史中的演化问题——因为在历史演化中，制度变迁、契约以及经济绩效等等一些关键性的问题，都取决于在多大程度上契约能够低成本地得以实施。既然在制度构成的三个主要部分中实施问题是如此重要，那么如何才能恰当地把握实施问题并给予令人信服的解释呢？为了解决这些问题，诺思特别介绍了在20世纪80年代博弈论制度分析中的一些当时的研究成果，并提出，在参与社会博弈各方的信息不完全且在非重复博弈的情况下，“那些能使人们在非人际关系化交换（impersonal exchange）条件下从贸易中获取收益的复杂契约，必须伴随着某种形式的第三方实施”（North，1990a，p. 57）。在看到这一点后，诺思也同时认识到，尽管政治组织作为第三方且在其动用强制力量来监管与实施契约方面的确存在着巨大的规模经济效应，不过这里却又暗藏着经济发展的一个根本性的两难困境：“如果说我们不能没有国家（state），那么同样，有国家也未必是件什么好事”，诺思认为，这里面的要害问题在于，“如何才能让国家像一个不偏不倚的第三方那样来行事”（North，1990a，p. 58）。很显然，这一论辩理路的一个逻辑结论自然是（尽管诺思没有言明），没有现代宪政民主（constitutional democracy）政制，又如何能确保国家——或政府的政治企业家——来公正无偏地做各种确保非人际关系化交换经济效率的种种契约实施第三方的“enforcer”？按照政治学的基本原理，只有有了良序的现代宪政民主政制，一个社会的法律体系和司法程序才会正常工作。正是因为这一点，一些发达市场经济国家的法律制度与一些第三世界国家的法律制度在确保经济运行的绩效方面存在着根本的差别。正如诺思所见，正是有了宪政形式的保障和支撑，在一些发达国家存在着有效率的法律制度和司法系统（包括完善的各类法律以及各种各样的法律界人士——如律师、仲裁人和调解人等），从而人们一般会相信影响人们之间经济与社会纠纷处理结果的是法律依据，而非私下的贿金。与此相反，在第三世界的一些经济体中，法律的实施则是不确定的。这不仅是因为法律条文本身所存在的疑义（一种衡量成本），还主要是因为由于缺乏法治和宪政民主政制，法律界人士的行为也存在着诸多不确定性。据此，诺思(North，1990a，p. 63)在第8章提出，人们在市场交易中种种权利保障方面的不确定性，“乃是区分现今高收入国家相对有效率的市场与过去乃至当今第三世界经济体之间差别的关键因素”。到这里，诺思的理论探索实际上就触及了制度经济学和比较制度分析的一个无法回避的根本性问题了：如何才能促进并保障不断出现的且极其复杂的非人际关系化交换的市场经济秩序的成长？诺思(North，1990a，pp. 59—60)指出，正如美国宪政之父麦迪逊(James Madison)在《联邦党人文集》(*The Federalist Papers*)中所写道的和一位当代宪法学者奥斯特罗姆(Vincent Ostrom)所认为的那样，只有像17世纪之后的英国那样逐渐演化生成或构建起来的某种合宜的宪政形式(constitutional forms)，才能有效防止政治权力被政府粗暴地滥用，才能随之建立起有效的法制和司法体系，从而确保存在大量非人际关系化交换的现代市场经济中的各种复杂契约的实施。

在从人类行为理论和交易费用理论相结合的分析视角对制度的复杂构成进行一些理论探讨之后，诺思接着在第2篇中用三章的篇幅专门探讨了人类社会制度变迁的一些基本理论问题。在第9章，诺思是先从讨论经济组织与种种制度约束之间的关系来开始探讨人类社会制度变迁的内在机理的。诺思教授之所以这样做，似乎有他自己独特的“匠心”在其中。自20世纪80年代以来，诺思对组织(organization)与制度(institutions)之间的关系的理解一直是：“组织及其企业家(entrepreneurs)……是制度变迁的主角(agent)，他们型塑了制度变迁的方向”(North，1990a，p. 73)；“制度是社会博弈的规则，是人所创造的用以限制人们相互交往的行为的框架。如果说制度是社会博弈的规则，那组织就是社会博弈的玩者”(诺思，1995，第2页)。由于把组织以及组织中的企业家视作制度变迁的主角，诺思在第9章中，深入分析了企业家、组织与制度变迁之间的关系。诺思还认为，是组织及其企业家通过学习和有目的的活动，“型塑了制度变迁的方向”(North，1990a，p.

73)。在其后的分析中，诺思(North，1990a，p. 78)还分析了经济组织的最大化行为型塑制度变迁方向的三个具体途径：(1)派生出了投资于各种知识的需求；(2)有组织的经济活动、知识存量与制度框架之间的持续互动；以及(3)作为组织的最大化行为的副产品，非正式约束也会有渐进性的改变。

在对制度变迁的主角及其型塑制度变迁方向的可能途径进行了一番探讨之后，诺思又接着在第10章中对制度变迁的内容和路径做了一些解释。诺思(North，1990a，p. 83)首先指出，制度变迁"通常由对构成制度框架的规则、规范和实施的复杂结构的边际调整所组成"。之所以如此，诺思认为，这是因为正式规则与非正式约束之间常常存在着复杂的互动，且二者与它们的实施方式一起，型塑了我们的日常生活，指引着我们生活中的大部分尘世活动，也是制度的稳定性和持存的根源。诺思还指出，"(政治的或经济的)企业家会运用他们的才能或默会知识(tacit knowledge)来搜寻获利的机会、估计成功的概率、用组织的资源来冒险以获取潜在收益"(North，1990a，p. 87)。诺思(North，1990a，p. 87)发现，"非正式约束的主要作用是修改、补充或扩展正式规则。因此，正式规则或其实施的变迁将导致一个非均衡状态的出现，因为构成稳定选择理论的基础的，是一个包括正式与非正式约束以及各种实施在内的综合因素"。可能正是基于对制度构成之间的复杂关系和内在关联互动的这种认识，诺思(North，1987，p. 422)在1987年发表的一篇《制度、交易费用与经济增长》的重要文章中，曾具体解释说："理解制度以及制度变迁之困境(dilemma)的关键，就在于人们能认识到，他们生活在其中的那些构成行事准则和规则的东西是在长时期中逐渐演化而成的(will only gradually evolve over a lifetime)。制度分析从根本上来说并不是研究博弈规则，而是研究个人对这些规则的反应。尽管这些规则可以即时改变(may change overnight)，但个人对规则变化的反应却是一个极其复杂和缓慢的适应过程。规则的变化要求规范、惯例和非正式准则的演进。"

尽管在正式规则、非正式约束以及二者的实施方式之间存在复杂的内在互动，从而制度本身就常常秉有一种内在的稳定性，但是，在人类社会的历史发展长河中，制度本身确实是在不断地演化变迁着。那么，是什么因素导致人类社会的种种制度不断变化呢？在第10章，诺思从经济学的角度提出了他的一个独到的看法："相对价格的根本性变化乃是制度变迁的最重要来源"（North，1990a，p. 84）。为什么会如此？诺思认为，相对价格的变化，不仅能改变"个人在人类互动中的激励"，而且能改变人们的口味（tastes）和偏好，从而改变人们的行为方式和一些"先存的心智构念"（preexisting mental constructs）（North，1990a，pp. 84—85），并最终引致制度的变迁。那么，在什么情况下，相对价格的变化才会最终导致制度变迁呢？诺思认为，只有一种相对价格的变化能使交换的一方或双方（不论是政治的还是经济的）感知到通过改变协定（agreement）或契约（contract）能使一方甚至双方的处境得到改善时，人们才有重新定约、签约的动力，然而，由于"契约是嵌套于规则的科层结构之中的，如果不能重构一套更高层面的规则（或违反一些行为规范），再协商或许就无法进行。在此情况下，有希望改进自身谈判地位的一方就极有可能投入资源去重构更高层面的规则"（North，1990a，p. 86）。这样一来，改变现存的制度安排就必不可免了。另外，诺思还认为，在人类社会发展的历史长河中，除了战争、革命、政府这些"非连续"的制度变革外，重大的制度变迁往往是通过无数次具体且微小的非正式约束的变化累积而成的，"这些微小变化在整体上构成了根本性的制度变迁"（North，1990a，p. 89）。

在对制度变迁的主角、动力及来源进行一定的探讨和解说之后，诺思在第11章专门探讨了制度变迁的路径。诺思自己解释道，他之所以关注制度变迁的路径问题，是想回答两个根本性的问题："首先，随着时间的推移，是什么决定了社会、政治或经济的演化的不同模式？其次，我们该如何解释那些持续绩差的经济体的长期存在？"（North，1990a，p. 92）根据保罗·戴维（Paul David，1985）的著名文章《克利俄[6]与键盘的经济学》(Clio and the Economics of QWERTY)和布莱恩·阿瑟(W. Brian Arthur,1988)的研究,诺思认为,“路径依赖”(path dependence)可能是一个非常重要的历史解释变量,这即是说,一些微小的历史事件可能导致某些制度产生并沿着某种路径长期沿存下去。但是,诺思也认识到,尽管决定社会与经济演化之关键的技术变迁与制度变迁都常常会呈现出“路径依赖”的特征,但是,无论是阿瑟的技术变迁中的路径依赖故事,还是戴维的键盘经济学,在被运用到制度变迁理论的研究中时,均有其局限,这主要是因为,他们二人均没有注意到型塑了制度变迁的路径的两种力量,即“报酬递增,以及以明显的交易费用为其特征的不完全市场”(North,1990a,p. 95)。诺思还具体解释道,在报酬递增的情况下,制度是重要的,它将型塑经济的长期演化路径。然而,尽管存在着报酬递增,但只要市场是竞争性的,甚至只要市场交易大致接近于零交易费用模型,那么,经济增长的长期路径就是有效率的。然而,如果市场是不完全的,信息回馈又是断断续续的,并且在交易费用十分显著的情况下,被不完美信息回馈与意识形态所修改了的行为人的主观模型就将型塑制度变迁的路径。这样一来,不仅不同的路径会出现,低绩效的制度安排也会长期驻存,而且行为人由历史过程得来的感知也将反过来型塑他们的选择。诺思(North,1990a,p. 96)不无感慨地说:“在一个制度报酬递增的动态世界里,行为人的不完美的或笨拙的努力所反映出来的是:以现有的心智构念(mental constructs)——观念、理论和意识形态——来辨识复杂的环境是多么的困难。”通过将制度渐进性变迁的路径依赖特征与持续成长或持续衰退经济模式的长期驻存结合到一起来分析,诺思(North,1990a,p. 99)得出了如下洞识:“发展路径一旦被设定在一个特定的进程(course)上,网络外部性(network externalities)、组织的学习过程,以及得自于历史的主观模型,就将强化这一进程。”

在第1篇和第2篇的各章对制度、制度的构成以及制度变迁过程进行了较详尽的理论探讨之后,诺思在第3篇的各章中一方面对前两篇的理论分析不断进行总结和复述，另一方面则尝试用经济史中的史实材料来验证他的理论发现。在第12章一开始，诺思就总结道，前两篇的研究表明，“制度在社会中具有更为基础性的作用，它们是决定长期经济绩效的根本因素”(North，1990a，p. 107)。在对他的制度及制度变迁的理论阐释做了一些总结性的评论之后，诺思转而对欧洲近代经济史上两个鲜明的国家实例进行了对比分析。诺思发现，在欧洲近代历史上，一个成功的例子是英国。在英国，相对价格的变化曾引发了政治与经济体系的演进，导致了一系列法律制度和宪政民主政制的生成，从而解决了财政危机，并于19世纪在工业革命和西方世界近代兴起中成了“领头羊”。另一个相反的例子则是西班牙。尽管西班牙的初始条件比英国更为优越，但是，其内部相对价格的变化所带来的却是无法解决的财政危机、破产、资产充公以及无保障的财产制度，最后所导致的历史结果是，西班牙经济在长达三个多世纪中相对停滞了。是什么因素导致这两个国家在近代走上了截然不同的路径？[7]这一问题非常值得从制度经济学和经济社会史的理论角度进行反思。接着，诺思还列举了在美洲近现代史上的两个截然不同的例子：处在北美大陆的美国的经济社会演变历史是以联邦政制、政治制衡(checks and balances)以及作为经济运行的一个基础性结构的私有产权制度为其特征的，这些基础性制度结构鼓励人们建立资本市场，并促进了经济成长所必需的长期契约行为。反观拉丁美洲一些国家的近现代经济史，人们会发现，这些国家一直保持着从西班牙和葡萄牙那里所继承来的集权与官僚传统，结果导致其经济表现一直并不令人满意，用诺思的的话说，“这套制度和组织既不能产生可持续的经济增长，也不能维护政治与公民自由”(North，2005，p. 144)。结果，在南北美洲的近现代历史上，不同的制度安排也演化出来了两种不同的社会发展路径，并在经济表现和绩效方面也产生了巨大的反差。为什么在人类近现代历史上出现了这么鲜明的两条社会演化路径？其原因到底何在？诺思(North，1990a，p. 117)发现，“在前者(**指英国和后来的美国——笔者注**)，一种促进非人际关系化交换的制度框架演化生成了，而非人际关系化交换是政治稳定以及获取现代技术的潜在经济收益所必需的。在后者（**指西班牙和拉美国家——笔者注**），人情关系依然是许多政治与经济交换的关键。产生这种人情关系的制度框架在演化中既不能带来政治的稳定，也不能使现代技术的潜力得到持续的发挥”。在谈到非人际关系化交换在现代经济增长中的关键作用时，诺思（North，2005，p. 112）还在后来的著作中一再强调：“英国的制度遗产为非人际关系化交换制度的生成（the development）创造了一个有利环境，而非人际关系化交换制度是美国经济长期增长的基础。”

根据对近代历史上的这些经济绩效迥异斐然的国家实例的对比分析，诺思在第13章中再一次强调他这本书的一个核心观点，“制度是理解政治与经济之间的关系以及这种相互关系对经济成长（或停滞、衰退）之影响的关键”（North，1990a，p. 118）。为了进一步说明这一观点，诺思还在第13章较为详细地考察并分析了人类社会不同发展阶段上法律、契约制度与市场贸易发展之间的关系，从早期的部落之间的交换、北非的集市贸易（Suq）、威尼斯的地中海贸易（Venetian Mediterranean）、位于欧洲中心地带的香槟集市（Champagne fairs）[8]，到欧洲中世纪的远程贸易，再到现代资本市场、金融和公司制度，以及其他复杂的非人际关系化的交换（interchange）形式的出现，等等。在这一章中，诺思还分析了欧洲近代市场的发展与法律和政治制度的互动关系。通过对欧洲历史的分析研究，诺思（North，1990a，p. 122）发现，“有些经济体演化出了能促进第三方实施的发展的政治结构，还催生了象征着现代西方世界的复杂的制度结构。但即使是在西欧，也并不是所有的经济体都以同样的方式演化。有一些国家——如西班牙——就走入了死胡同，这是其政治—经济政策造成破产或抑制生产性制度创新的结果”。诺思最后认为，正是制度变迁中的路径依赖效应，使欧洲各国在截然不同的初始条件的背景之下，经济绩效表现迥异，并使英国与西班牙走上了不同的历史演化道路。

那么，为什么英国在近代史上的经济绩效表现会如此突出？在最后一章第14章中，诺思(North，1990a，pp. 138—139)再次强调指出，这主要是因为自13世纪初英国《大宪章》的签署到光荣革命(Glorious Revolution)时期的英国政治体系的根本性变革对英国的经济发展起了关键性的作用。诺思具体解释道，光荣革命的结果是"……议会的崇高地位、中央(议会的)控制财政事务、限制皇权、司法独立(至少脱离王室而独立)以及普通法法庭的崇高地位，均相应地建立起来了。这一系列变革的一个主要成果，是增强了产权的保障"(North，1990a，p. 139)。结果，"产权保障以及公共与私人资本市场的发展，不仅带来了英国后来快速的经济发展，还成就了其政治上的霸主地位，并最终使英国雄霸世界"(North，1990a，p. 139)。在后来出版的《理解经济变迁过程》一书中，诺思(North，2005，p. 85)又进一步从理论上总结道："良序运作的市场需要政府，但并不是任何政府都能做到这一点。必须存在一些限制政府攫掠市场的制度。因而，要解决这类发展问题，就需要设计一些政治制度，从而为良序运作的经济所必需的公共物品的供给奠定基础，同时亦能限制政府及政府官员的自由裁量权和权威。"

这样，通过对人类社会的制度概念、制度构成以及制度变迁过程的思路清晰、逻辑严密、结构完美，且既有理论论证也有翔实史实材料印证的多视角、大范围的分析，诺思在这本不厚(只有十几万字)的"小册子"中，向人们展示了一个完整的制度分析及制度变迁的理论框架。自这部著作1990年出版到现在，已经十几年过去了，但即使在今天，当我们再研读这部著作时，仍然感到诺思的一些理论发现的前沿性和前瞻性，仍然会从文本的解读中不时发现诺思的一些真知灼见在那里，且直到今天仍然发人深思。因此，我们完全有理由说，这部著作不仅已经是一部公认的研究制度和制度变迁问题的经济学经典名著，而且是社会科学各学科的学者研究人类社会历史演变过程所不能忽视的理论文献。从这种意义上，我们说诺思教授的这部《制度、制度变迁与经济绩效》是人类社会制度变迁理论研究的一部集大成之作。

当然，我们今天也必须认识到，人类社会的制度现象及其生成机制、内在构成、演变路径、影响因素实在太复杂，以致到目前对人类社会制度的变迁机理、动力和原因，我们仍然有许多并不十分清楚的地方。正如诺思(North，1990a，p. 140)在这部著作的最后一段话中所言："对于制度的严谨研究，我们才刚刚开始。"就此而言，诺思教授的制度变迁理论的分析框架，尽管已经是非常精密细微且气势恢弘了，但是，与哈耶克的"自发—扩展秩序理论"一样，诺思的制度变迁理论，也均是这些伟大的思想家基于自己的知识禀赋、理论进路以及语言文化背景所讲述的各自的不同"故事"，所述说的他们个人的理解。因而，对任何思想家所讲出的人类社会制度变迁的故事和理论解释——包括像哈耶克和诺思这样的思想巨人的制度理解和制度变迁理论，我们一方面要认真地学习，细心地思考，并虚心地接纳其言之成理的部分，另一方面也同样有必要抱着一个开放的心态去怀疑、去反思，甚至去争辩、去批评、去做进一步的探索。我想，这也是诺思教授自己的主张和意思。譬如，在这部著作最后一章的开头，诺思(North，1990a，p. 131)教授就明确地说："将制度分析清楚而直接地融入到经济史以及一般历史的书写(以及因而改变的阅读)之中，会产生些什么样的不同呢？书写历史，就是将随时光流转的人类状况的某些方面构建成一个连贯的故事。这种构建只存在于人类的心智(human mind)之中。我们不重建过去，我们只是构建一个关于过去的故事。然而，一部好的历史，其故事就必须能给出一个一致的、合乎逻辑的解释，并且还应能紧守已有的证据与理论。对上面这个问题的一个简短回答便是：制度与历史的结合，比之其他方式，将能使我们讲出一个更好的故事。"

制度研究，不能离开历史材料的印证和历史的反思。反过来说，历史的研究若离开制度分析和制度变迁理论的引导，将会是盲目的。诺思教授的制度变迁理论的历史印证与他的历史比较制度研究的理论分析的精心结合，已经为学界的未来制度理论探索树立了一个耀眼的标杆。用诺思(North，1990a，p. 140)教授这部著作结束语的英文原话来说就是："The promise is there. We may never have definitive answers to all our questions. But we can do better."⑨

(三)

前面我们对诺思教授的《制度、制度变迁与经济绩效》一书中的主要观点做了简要的评述。从诺思的思想演变发展过程来看，这部著作从整体上来说是20世纪90年代前他自己对制度和制度变迁问题进行理论研究的一个阶段性总结。作为一个视野宽广、思维活跃且为探索人类社会制度变迁机理数十年锲而不舍的理论经济学家和经济史学家，自20世纪90年代以来，甚至在他于1993年荣获诺贝尔经济学奖之后，诺思并没有满足于自己理论探索的已有成就和理论发现，而是不断阅读并吸纳与制度和制度变迁问题研究相关领域的最新文献，探讨新的问题，并不断加深他本人对人类社会制度变迁机理的理解，进一步改进和精细化了他的制度变迁理论。自20世纪90年代以来，诺思及其一些合作者在社会制度的经济分析和制度变迁理论研究方面，又大致做出了以下几个方面的重要贡献：

(1) 自从20世纪90年代以来，诺思致力于研究人类历史上交易费用水平变动的一般趋势和演变机理，在一篇题为《历史上的交易费用》的文章中，诺思(North，1997b，pp. 149—152)提出，在历史上，有三个关键因素导致了交易费用的降低，它们分别是：那些使"非人际关系化交换"(impersonal exchange——这个词在一些地方可以理解为"非熟人间的交换")得以可能和可行的市场制度的出现，政府保护和实施产权的信念的确立，以及现代科技革命所带来的收益的增加。照诺思看来，从12世纪到14世纪，在欧洲历史上的商业革命曾引致了贸易的兴起和经济的增长，而导致这一商业扩张的最关键的要素就在于在欧洲社会内部自发衍生出了一系列法律和贸易制度，从而使得一些非人际关系化交换能大范围、跨地区且历时地得以进行。跨地区和跨族国(nations)的信用市场、保险市场、期货交易合约以及规约贸易和交换的商人法,城市法和海商法的通行和实施等等,这些都构成了西欧近代商业革命的制度特征。然而,依诺思(North,1990b,pp. 126—128)个人所见,从人际关系化交换向非人际关系化交换的社会转型,也给人们之间的合作关系带来许多根本性的问题。交换的非人际关系化,熟人关系的超越和断裂,不仅意味着在欧洲中世纪普遍存在且互相分隔的封建领主庄园经济中的一些本地交往和熟人关系网络的断裂,也意味着有共同意识形态的共同体的逐渐分化和解体,这自然伴随着在欧洲中世纪所普遍存在的一个个"布罗代尔钟罩"(Braudel Bell Jar)[10]下人们所共同遵循的一些世俗惯例和共同信仰的瓦解。随之,交易费用和交易的不确定性也大大提高了。为了降低不断上升的交易费用,新的商贸和生产组织的创建与一些新的交易制度的形成和演变,就变成了近代西方世界社会变迁的一个动态过程。结果,在西欧社会内部经历了大约500年左右的制度创新和组织形式的演化,才有可能在西方中世纪封建社会的母体上型构而成我们今天所观察到的分工世界(North,1990b,p. 127)。

(2) 随着分工的增加和非人际关系化交换的不断扩展,交易费用也增加了,其主要原因是,交换各方所拥有的信息是有代价的和非对称的,结果,诺思发现,从企业层面上来看,转型成本(transformation costs)随着时代的进步而降低了,但交易费用却增加了(North & Wallis,1994)。因而,按照科斯(Coase,1937,1960)的交易费用与制度安排内在关系的理论,在给定技术水平的条件下,人们创生或选择某种制度来降低交易费用,从而导致一些市场制度安排的出现和改变。这一点已经成为了新制度经济学的常识。然而,照诺思看来,问题到这里并没有结束。在20世纪90年代之后,诺思和瓦理斯(North & Wallis,1994,p. 610)提出了这样一个问题:假如技术不是给定的,而是在不断变化着,那将会是一种什么样的情形?假使人们同时需要选择技术和制度时,结果又将会如何?沿着这一思路,诺思和瓦理斯发现,在交易费用与技术变迁和制度变迁之间的互动关联上,还有一块未开发的研究领域,而且迄今为止,大部分新制度经济学家都还未认识到这一点,并实际上假定制度变迁与技术变迁二者是相互独立的。沿着这一研究思路,诺思和瓦理斯在20世纪90年代提出了一个在经济史分析中把交易费用、制度变迁与技术变迁整合在一起的新的理论框架。

为了弄清制度变迁与技术变迁的内在关系,诺思和瓦理斯(North & Wallis,1994,p. 617)提出了四种交易或转型"增进"(augmenting)或"消弱"(attenuating)的制度变迁或技术变迁:交易增进(或削弱)的制度变迁是指那种能提高(或降低——下同)交易投入效率的制度变迁;交易增进的技术变迁是指那些能提高交易投入效率的技术变迁。依此类推,转型(生产)增进的技术变迁(a transformation augmenting technical change)是指那种能提高转型投入(生产要素)生产率的技术变迁:而转型(生产)增进的制度变迁是指那种能提高转型投入(生产要素)生产率的制度变迁。基于上述区分,诺思和瓦理斯(North & Wallis,1994,p. 618)发现,在交易与转型过程中,中间物品在理解历史上的技术变迁和制度变迁相互关联中起到一个关键性的作用。例如,拿电话来说,诺思和瓦理斯认为,电话在通信工业之外的企业作为中间物品的大量购买和广泛使用,就曾大大地降低了交易费用。很显然,自20世纪90年代以来因特网技术和网络通讯在全世界范围的普及,将会极大地降低一些行业或厂商的交易费用。同样,在一个工业内部的制度变迁也会通过中间物品传导给其他工业。诺思和瓦理斯曾举例说,投资银行的出现,可能会通过使其他行业的人们使用其金融服务来引致金融行业之外一些行业内部的组织、制度甚至技术变迁。

根据他们对技术变迁和制度变迁之间相互作用以及交易费用和转型费用(或言"生产成本")之间相互关系的考察,诺思和瓦理斯提出,要通过进一步的研究来解开在交易费用、制度变迁以及技术变迁与历史上经济增长之间的复杂关系的纽结。他们认为,在他们的分析框架中,关键在于，制度安排之所以存在并不仅仅是为了降低交易费用；“理性经济人希望在各方面尽可能地降低交易费用。技术创新能使我们较容易地降低交易费用，正如它能导致降低转型费用一样。同样，制度变迁也会降低交易费用，或降低转型费用”(North & Wallis，1994，p. 622)。诺思和瓦理斯的这一洞识，既是对科斯交易费用经济学的一个新的诠释，也显然是一个重要的理论推进，对理论界继续深入探讨人类近现代历史乃至当代历史上的经济社会变迁过程，以及对未来制度分析和制度变迁问题的理论研究，显然都具有十分重要的理论意义。沿着诺思和瓦理斯的这一思路进一步进行理论探索，也许会拓展出一片非常有理论发展前景和应用价值的研究空间或研究领域。

(3) 基于对欧洲、北美近现代历史上动态社会变迁过程的历史考察，自20世纪90年代以来，诺思与他的一些合作者一起，展开了从历史博弈的视角对欧洲历史上近代市场秩序及其制度规则的自发型构过程的理论分析和模型建构。据诺思和他的一些合作者自己所言，他们这样做的目的，是旨在弄清这样一个理论问题：在没有国家强制力量参与或干预的情况下，一些确保近现代市场运行的制度规则和制度安排最初是如何自发型构而成的？在1995年发表的《西方的吊诡》(The Paradox of the West)一文中，以及在他与米尔格罗姆(Robert Milgrom)和温加斯特(Barry W. Weingast)1990年合作撰写的文章中，诺思等人对中世纪后期荷兰以及英格兰最初商业制度的型构进行了历史的考察，并在理论上对这些处于他所说的“第二次经济革命”国家的产权结构型构和演进的历史过程进行了博弈论模型——尤其是“历史博弈”——的分析。照诺思和他的合作者(North，1995a；Milgrom，North & Weingast，1990)看来，在中世纪晚期的荷兰，由一些私人法官(private judges)来强制实施的支配商业交易的一些商法和法规(legal codes)，最先是在商人们的生意交往即市场博弈中自发型构出来，然后在欧洲近代早期的市场发育中不断演进而逐渐完善的。譬如，在荷兰近代市场秩序的最初型构过程中，合约的实施机制最早是以“基尔特商人的行会秩序”(fraternal orders of guild merchants)之中商人们的内在行为准则形式出现的。在这些基尔特商人行会中,一旦发现有人有欺诈、违约和失信行为,人们就会把他排挤出行会的商业圈子,从而使他无法再在圈内做生意。诺思(North,1995a,p. 15)曾对他们的这种历史博弈分析做过这样的归纳:“这些行为准则逐渐演变成商法,并逐渐遍及欧洲的贸易地区。它们也逐渐地与普通法和罗马法融合起来,最后由国家来强制实施。”根据上述历史博弈分析,诺思进一步指出,辨识出西欧一些国家的法律制度的自发形成和演进过程以及经济制度的结构是政治,体制演进之结果是十分重要的,因为,正是在这一政治体制与经济制度之间互动发展的社会历史演进过程中,法律框架及其实施机制也相应生成了。[11]

(4) 基于对欧洲历史上商人交往秩序的自发生成过程以及对正式制度规则——如法律制度——历史演进过程的上述理解,在一些晚近文著中,诺思进一步梳理并探讨了在经济增长和政治体制演进之间的相互作用。诺思(North,1995b)发现,经济增长和政治自由在欧洲近代社会的动态发展中是一个互补的过程:从一方面来看,经济增长为支撑更为复杂社会(或用哈耶克术语“人之合作的扩展秩序”)的运行提供了资源;另一方面,如果没有政治自由和公民权益的充分发展,经济增长也不可能长期持续。根据这一推论,诺思(North,1995b)指出,在作为经济增长源泉的劳动分工和专业化的社会中,会自发孕育民主政治和个人自由。

在西欧近现代历史上,在经济增长和政治自由的发展之间,确实存在某种互利共生的相依关系(用英文讲,即某种“symbiotic relations”)。正如诺思所见,欧洲最早发轫现代经济增长的两个先驱国家荷兰和英国,同时也是代议制政府和公民自由的先驱。与之形成鲜明对照的是,在欧洲近代经济社会发展中落后的西班牙和葡萄牙,在同一时期也没能发展出公民的政治自由和民主政制。照诺思(North,1994c)看来,其原因在于,西班牙和葡萄牙均因某种独特的历史发展路径而衍生出一个中央集权的官僚结构，而这种官僚结构同时对这两个国家的经济、政治有着超强的控制。相反，先是荷兰，接踵英国，这两个国家在市场经济的自发成长中逐渐衍生出一些经济和贸易制度，这些经济和贸易制度又孕育了分权的政体并反过来导致了有效率的市场的不断演进。基于这一历史观察，诺思(North，1995a，p. 7)认为，作为经济增长必要条件的被明晰界定且能被有效实施的产权结构，只有在政治自由和公民权利能得到确保的情况下，其本身才能得以良序工作。反之，王室或政府公权力对公民财产的任意没收将始终是个威胁。这也充分说明在经济增长和公民的政治自由之间存在着某种深层的内在关联，且至少近代欧洲历史上荷兰和英国社会的历史演变的例子已经说明了这一点，而西班牙和葡萄牙的近代经济社会发展史则给出了一些反例。

对于人类近现代社会中宪政民主政制与长期经济增长的关系，诺思在后来出版的《理解经济变迁过程》一书中又做了更加深入的探讨。基于西方政治学传统中对政府本质的一般认识，即政府实际上是一个"kleptocracy"(即"利用权力盗窃国家资源的统治者"，见 North，2005，p. 67)，诺思认为，必须制定宪法性典章来有效约束政府、政府官员的行为以及他们的行政自由裁量权。诺思(North，2005，pp. 107－108)指出，宪政民主政制在四个方面可以确保一个市场经济的良序运作(well-functioning)："第一个命题意味着……对政治官员行为的限制。政治秩序的关键就在于对政治官员的可信限制。公民权力及其所隐含的对政府的限制，必须对政治官员来说是能自我实施的，即违背这些限制就会危及一个政治领导人未来的政治生命"；"第二，成功的宪法可以通过赋予公民权利以及对政府决策施加一些其他限制来部分减少政治舞弊(stacks of politics)。第三，产权和个人权利必须得以很好地界定，以致这些权利被侵犯时，公民们能清楚地知道。第四，国家必须提供尊重这些权利的可信承诺，以保护人们不受公共官员的机会主义以及剥夺行为所侵害"。

(5) 尽管自20世纪90年代以来诺思本人及他的一些合作者一起

对人类社会的经济发展与政治体制的变迁过程之间的关系做过一些考察，但是，在最近撰写的一篇题为《解释有记载人类历史的一个概念框架》的长文中，诺思、瓦理斯和温加斯特（North，Wallis & Weingast，2007）还是明确地指出，到目前为止，无论是经济学，还是政治学，均还不能完全解释人类现代社会的发展过程。因为，当今世界的格局是："发达社会总是具有发达的经济和发达的政体(polities)。"诺思等认为，这一事实表明，经济和政治的关联必定构成了整个社会发展过程的深层基础。因此，要解开近现代历史上这一仍然充满诸多困惑的历史之谜，必须构建出一个把经济学与政治学的理论分析整合在一起的分析框架。为此，诺思、瓦理斯和温加斯特最近创造了两个新术语："有限进入的社会秩序"(limited access social orders)和"开放进入的社会秩序"(open access social orders)。[12]他们还认为，理解现代社会发展的关键在于弄清从"有限进入的社会秩序"向"开放进入的社会秩序"的转型，因为，在第二次世界大战后，只有少数国家完成了这一社会转型（见 Norrh，Wallis & Weingast，2007，p. 72）。

在这篇长文一开始，诺思、瓦理斯和温加斯特（North，Wallis & Weingast，2007，p. 3）就提出："对经济史中最根本的问题，可以从两个方面进行追问：为何在 18 世纪末和 19 世纪只有少数几个国家取得了可持续的经济增长和发展？为什么在过去 300 多年中大多数国家均无法实现可持续的经济增长？"与之相关联的一些深层问题是：为什么在 20 世纪只在少数国家中产生了一些制度安排来确保经济的可持续发展，而世界上大多数国家均不能衍生出繁荣的市场、竞争性的和稳定的政治，以及一些能促进深层人力资本积累的文化？这一历史过程到底是如何发生的？诺思他们认为，这其中问题的关键就在于世界上大多数国家均未能成功地完成从"有限进入的社会秩序"向"开放进入的社会秩序"的转变。[13]在这篇新近的长文中，诺思及其合作者还对他们所认为的"有限进入的社会秩序"以及"开放进入的社会秩序"的各自特征及其运作机理分别做了一些描述和分析。他们的研究发现，在"有限进入的社会秩序”以及与之相匹配的“自然国”(natural states)[14]中，政治与经济紧密地绞缠在一起(intimately intertwined)，国家设定有限的进入而创造经济租，而这些租金又被社会的精英阶层(elites)用来支撑现存政治制度(regime)和维系社会秩序。因而，在这种只有“有限进入的社会秩序”的“自然国”中，政治体制对经济体制而言不是外生的，因为在经济中政府是一个首要的和最重要的参与者；同样，经济体制对政治体制来说也不是外生的，因为正是“经济租的存在建构了政治关系”(North，Wallis & Weingast，2007，p. 14)。正因为这样，“有限进入的社会秩序”的特征是不断创生出有限地进入一些有特殊价值的权利和活动的特权，而这些特权又为国家内部的一些政治和军事精英及其集团所维系和享有，从而“产权的发生和法律制度亦为精英的权利所界定”(North，Wallis & Weingast，2007，p. 32)。这样的社会安排，必然导致在这种“自然国”中“国家控制贸易”(同上，p. 33)。由于在这种“有限进入的社会秩序”中，“一个自然国的维系并不依赖于非精英阶层(non-elites)的支持，他们并不能有效威胁国家和特权阶层”的统治，反过来他们也“无法信任国家所作出的保护他们权利的承诺”。诺思、瓦理斯和温加斯特(North，Wallis & Weingast，2007，p. 15)的研究还发现，尽管这种自然国“能提供一种长时段的社会稳定，并能为经济增长提供某种环境条件，但是总存在蕴生社会动乱的可能性”，从而“暴动和内战经常是一种可能的结果”。

在这篇长文中，诺思、瓦理斯和温加斯特还提出了一个特别深刻的观点：尽管在具有“有限进入的社会秩序”的“自然国”中可以像“开放进入的社会秩序”一样有法律，甚至有“法治”(the rule of law)，但是，这些法律和“法治”只对一些精英来说才有实际意义。正如德·索托(de Soto，2000)在《资本的秘密》一书中所发现的那样，在当今许多第三世界国家中，亦即在诺思、瓦理斯和温加斯特这里所说的“有限进入的社会秩序”中，普通民众实际上是享受不到一些法律、制度和特权组织(如豪华俱乐部)的好处的，因为，同样的法律和制度“在有限进入的社会秩序中与在开放进入的社会秩序中的运作是不同的”(North, Wallis & Weingast, 2007, p. 27)。诺思等人的研究发现,正是这一区别,使得经济学家们在对制度的经济绩效影响方面的经验研究中陷入了极大的困惑,为什么同样的法律和制度在不同国家和社会中有不同的社会功能和社会作用?为什么有些法律和市场制度在一些国家和社会中作用良好而在另一些国家和社会中就不怎么工作?为什么形式上相同或相类似的制度在不同社会体制中的经济绩效不同?很显然,照诺思、瓦理斯和温加斯特看来,这主要还是在于社会秩序是“有限进入的”,还是“开放进入的”。对此,诺思、瓦理斯和温加斯特(North, Wallis & Weingast, 2007, p. 46)曾明确地说:“答案在于开放进入和竞争:所有这些机制在开放和竞争存在的条件下在运作上会有差异。自然国限制进入和排斥竞争者。这使一些组织的形成变得非常困难,以致使那些能协调民众反对政府的组织极大地受限。”相反,在一个“开放进入的社会秩序”中,“政治竞争实际上要求众多大的、复杂的和良好组织的利益群体的存在,以至于不论在任何政治制度存在的条件下,他们均能有效地相互竞争”(North, Wallis & Weingast, 2007, p. 38)。由此,诺思、瓦理斯和温加斯特(North, Wallis & Weingast, 2007, p. 39)得出了如下一个尤其重要的结论:“只有在经济竞争存在且复杂的经济组织出现的前提条件下,可持续的竞争民主才有可能。”

(6) 如果说世界各国要达致可持续的经济增长和社会发展均要求从一种“有限进入的社会秩序”转型为一种“开放进入的社会秩序”,那么,世界上的许多国家——尤其是第三世界国家以及所谓的“转型国家”——如何才能完成这种从“自然国”向“宪政国”的转型?对此,诺思、瓦理斯和温加斯特(North, Wallis & Weingast, 2007)在那篇新近的《解释有记载人类历史的一个概念框架》一文中并没有给予更多的且令人信服的解释,[15]倒是在2005年出版的《理解经济变迁过程》一书中,诺思提出了许多发人深思的观点和思路。

从人类社会制度变迁的基本分析理路上来看,要弄清从一种社会秩序向另一种社会秩序的过渡或转型，关键还是在于理解制度变迁机制的动力源在哪里。在这个问题上，似乎在诺思晚年的思想发展过程中发生了一个较明显的渐进性转变，那就是他越来越重视人们的信念(beliefs)、认知(cosnition)、心智构念(mental constructs)和意向性(intentionality)在人类社会制度变迁中的作用。譬如，在《理解经济变迁过程》一书的"前言"中，诺思(North，2005，pp. viii—ix)就明确指出："人类演化变迁的关键在于参与者的意向性(the intentionality…of the players)……人类演化是由参与者的感知(perceptions)所支配的；选择——决策——是在对旨在追求政治、经济和社会组织的目标的过程中的不确定性的感知中作出的。因而，经济变迁在很大程度上是一个为行为人对自身行动结果的感知所型塑的刻意过程(a deliberate process)。"在其后的分析中，诺思(North，2005，p. 3)又一再指出："理解经济变迁过程的关键在于促动制度变迁的参与者的意向性以及他们对问题的理解"；"人们所持的信念决定了他们的选择，而这些选择反过来又构造(structure)了人类处境(human landscape)的变化"(North，2005，p. 23)。由此，诺思认为，"信念是构建理解经济变迁过程之基础的关键"(North，2005，p. 83)。[16] 基于上述认识，诺思(North，2005，p. 36)相信："对个人信念如何与社会背景(social context)内在关联的深入探析，将展示出用来直接解释经济变迁的一整套文化与社会制度的关联机制。"为什么会是如此？诺思(North，p. 49)具体解释道，这是因为，"在信念体系和制度框架之间存在着密切的联系。信念体系体现了人类处境的内在表诠(internal representation)，[17] 制度则是人类施加在所处环境之上以达致合意结果的结构。因而，信念体系是内在表诠，制度则是这种内在表诠的外在显现(manifestation)"。

如果说制度的维系和变迁均取决于人们的信念或人们的意向性，尤其是取决于如当代著名语言哲学家塞尔(John R. Searle)所见的那种"集体意向性"(collective intentionality，见 Searle，1983，1995)，那么，人们的信念又是如何形成的？作为"制度事实"(institutional facts——塞尔的《社会实在的建构》一书中的一个核心概念)的人们的“集体意向性”又是如何达致——或言生成——的?照诺思看来,这部分取决于人们的心智构念(mental constructs)。[18]那么进一步的问题是,人们的一些先存的心智构念(preexisting mental constructs)又是从何而来?诺思(North,2005,pp. 61—62)对此解释道:“个人所形成的用来解释周围世界的心智构念部分是从他们的文化遗产中产生的,部分是从他们所面临和必须解决的‘局部的’(local)日常问题中所产生,还有一部分是‘非局部的’(non-local)学习的结果。”照诺思看来,除上述三个来源外,人类的基因在其中也起到一个非常重要的作用:“人类的基因特征提供了心智的初始建构(initial architecture);心智与文化遗产和个人经验之间的相互作用型塑了学习”,从而,照诺思看来,基因、文化遗产和个人经验,便构成了人类学习的“三个来源”。

从哲学的知识论背景来看,受塞尔心灵哲学的影响,诺思把人类社会视为一种人类心智的某种建构,[19]由此他认为,“人类所创造的这种建构便成了人们心智的一个主观函数”(North,2005,p. 83)。基于上述认识,尽管诺思在晚年大量接受了哈耶克社会理论中的一些洞识,但他最终还是得出了与哈耶克的自发社会秩序生成论完全不同的一种理论进路:“即使我们完全赞同哈耶克在与社会主义计划者辩论中已经大获全胜的论证,即价格体系相对于其他可选择资源配置方式更有效率,但是,哈耶克并没有认识到,我们别无选择,而只能从事社会工程(social engineering)。”(North,2005,p. 162)这句话,可谓是诺思一生锲而不舍地探究人类社会制度变迁机理所达致的一个最后结论。是也?非也?这也只有留给每个人去自己判断和未来人类社会发展的历史实践去进一步验证了。尽管如此,今天这里我们似乎仍然可以猜测到,如果诺思这里所说的“社会工程”是指与良序市场运行体系相配套的宪政民主政体的未来建设,那么他的这一结论也许多半是对的,或者说至少是可接受的。

(四)

最后，请允许我谨就诺思教授的这一制度经济学学术名著中文翻译的“杭译本”的来龙去脉做些交代。

从时间上来说，我是在 20 世纪 90 年代初最早接触到诺思教授的文著和思想的。1992 年初，我从澳大利亚的蒙纳士大学（Monash University）转到悉尼大学（The University of Sydney）攻读经济学博士学位。刚到悉尼大学后不久，在一次偶然的制度经济学文献的查阅中，我发现了那时刚刚出版的这部《制度、制度变迁与经济绩效》。记得当时在悉尼大学的图书馆书架上找到这部著作时，如获珍宝。当时一口气读下来之后，真有一种醍醐灌顶、茅塞顿开的感觉。现在摆在我案头的这部著作的复印稿上，仍然留下我当年研读这部著作时所写下的密密麻麻的英文批注。读过这部名著后，我又从图书馆借阅了诺思的另外两本主要英文学术著作《西方世界的兴起》（North & Thomas，1973）和《经济史上的结构与变迁》（North，1981），并且还在悉尼大学的图书馆中复印了几乎所有我能找到的诺思的论文。在 20 世纪 90 年代初期到中期，我对诺思的思想和理论是如此痴迷，以至几乎到了谈制度问题时言必称诺思的地步。

这里应该说明的是，尽管自 20 世纪 90 年代初以来我就对诺思教授的思想和制度变迁理论如此痴迷，但自 1998 年 9 月回国执教复旦大学并开始细致且全面地研读哈耶克的一些著作后，曾对诺思教授——尤其是他的早期思想发展阶段——的建构主义的制度设计论进行了一些反思，并在一些文著中进行了言辞不乏激烈的批评与商榷（见韦森，1999a，1999b，2001 第 3 章）。对于这一点，熟悉我前几年研究思路的学界朋友大都比较清楚。2000 年 9 月到 2001 年 3 月间，我有幸到英国剑桥大学经济与政治学院做访问研究。在此期间，我又尽可能地收罗并复印了自20世纪中期以来诺思教授所发表的新文章，并在剑桥写了一篇很长的文献回顾性的英文论文《评诺思的制度变迁理论》(见Li,2003)。从剑桥回来后，我曾发邮件给诺思教授，告诉他我在剑桥写了一篇“A Comprehensive Literature Review on Your Theory of Institutional Change”，并问可不可以发给他听听他的评论意见。邮件发出后，立即收到诺思教授自己的肯定答复，我亦随即把这篇很长的英文文稿和另一篇关于哈耶克自发社会秩序理论的英文稿一块传给了他。2003年3月，当诺思教授随华盛顿大学圣路易斯分校的访问团来复旦大学时，我曾有机会参加了校方的接待，第一次有机会与诺思教授面谈。记得当我最初见到诺思教授走进我们复旦大学逸夫科技楼的二楼大厅时，我迎了上去，自我介绍说：“Professor North, I am Weisen Li.”听到这话，诺思教授略有些惊讶，接着笑了，并和蔼地拍了拍我的肩膀，说的第一句话就是：“Ah! You are Weisen! You know my thoughts than I did!”由于在我传给诺思教授的那篇英文文章中不乏从哈耶克的社会秩序演化论的观点出发对诺思早期思想中的新古典主义的制度设计论的善意批评，在与诺思教授的交谈中，他特别告诉我说：“韦森，你可能还不知道，我与哈耶克是好朋友。在哈耶克1974年获诺贝尔经济学奖之后，他还曾到我在伊利诺伊州的农场中住了3天呢！”

正因为我与诺思教授的理论、思想以及他本人有这样的一段不短的“历史故事”，所以，当2006年上半年上海世纪出版集团格致出版社的谷雨女士与我联系并问我愿不愿意重新翻译诺思教授的这部著作时，我几乎不假思索地就答应了下来。然而，由于这些年在复旦经济学院分管的行政事务实在太过繁忙，以致在国内根本就没有“整块时间”来从事翻译之事，故我原本打算于2006年5月至9月在美国哈佛大学哈佛—燕京学社访学研究期间集中精力把它翻译出来。在2006年5月底初到波士顿的一个星期中，我也确实立即开始着手翻译这部著作了，译出了其“前言”和第1章的一大半。本来，我想，这部著作自己已经读过多遍，其中的许多观点都比较熟悉，书中的一些英文文句甚至都能背得出来，加上自己在以前的著作中已经把该书中很多文句翻译为中文了，并且手上又有“二刘译本”，我当时预计，在一个月甚至更短的时间里，就能完成这部书的重译工作。但是，当我在波士顿真正安顿下来着手翻译此书时，才发现将这部学术名著翻译成中文决非一件容易和快速的事。这主要是因为，尽管诺思教授的制度理论和制度变迁思想并不难理解且自己已经比较熟悉，但他的英文语言表达实在是太拗口，[20]因而要把他在英文语境中所表达的非常明白的意思用通顺流利的中文文句再表达出来，实在不是一件易事。在最初的翻译中，我切身地感觉到，要真正做到这部学术专著中文译本的“信、达、雅”，几乎每个句子都要反复推敲半天，要思前想后，搜肠刮肚，以致费尽思量，才能翻译成通顺的中文文句。结果，当我把这本著作的“前言”和第1章大半部分翻译下来之后，我竟然发现在自己的中文翻译文本中几乎没有一句话与“二刘译本”中的任何一句话是相同的(也许这对国内有些经济学人完全根据国外某位学者的某本学术专著的国内翻译本中的某一句话就确信某一学术信念或进行学术争论的做法是一个警示吧)！随后，我马上意识到这部学术名著的中文翻译是一件非常艰巨和麻烦的任务，而决非是自己原来所设想的那样一个月、半个月的事。在此情况下，我开始有些慌乱起来了：是在哈佛访学研究的短暂时间里继续翻译这本书？还是不在哈佛从事翻译从而把“分秒如金”的短暂时间主要用在为自己目前和今后的学术研究收集资料上？经反复斟酌，我选择了后者。但是，问题并没有解决：如果在哈佛都没有整块的时间来翻译这本书，9月份回国后可能就更没时间了。在此“两难困境”之中，我突然想到了当时也在哈佛一燕京做访问研究的复旦大学经济学院的同事杭行(副)教授。因为，据我所知，杭行教授不但中英文俱佳——尤其是中文文字功底极其老道和优美，而且在制度经济学理论研究方面也甚有造诣。当我问杭行教授愿不愿意从我手中转接过这个翻译工作时，她愉快地答应了下来。我随即把这个意思传达给了格致出版社的谷雨女士和何元龙社长，告诉他们将由杭行教授来主译这本书，而由我来审校，并立即得到了他们的同意。故此，杭行教授自2006年8月中旬回国后，就接下我留下来的半拉子翻译文稿，独立翻译起这部著作来。

在做学问和学术著作的翻译上，杭行教授均是个完美主义者。尽管她中英文功底均很深，且诺思的这部著作在英文文本上并不甚难懂，但是，杭行教授在整个翻译中还是几易其稿，反复推敲。直到2007年11月份她去奥地利萨尔斯堡开一个国际会议之前，才传给我她所翻译的前8章。在2007年年底和2008年一二月份，她又再次要回先前传与我的初译稿，并反复进行修改，在2008年春节前才最后给了我整本的翻译稿。

收到杭行教授的译稿后，我随即利用寒假和春节的一点“闲暇”时间，审校了一遍全稿。在审校此稿时，我处处感觉到，在她的整个译稿中，几乎每个字——甚至每个标点符号——都留有她反复推敲斟酌的辛劳和匠心。由于对诺思的这部著作的英文原版我数年前就读过不止一遍，一些英文文句还残留在自己“笨拙”的记忆中，加上杭行教授本人又花费了如此多的心神和精力，在最后的审校过程中，我基本上没有对照英文原文一字一句地审校，而是通篇盲读中译文本，只是在读到有的地方觉得有疑问或感觉到与我以前引用诺思教授的原话时的翻译有些出入时，才回过头去查对英文原文。因此，目前这个中译本，除“前言”和第1章前半部分是我译的之外，后面的整个译本笔者大致只是改译了个别字句。当然，整个翻译过程中，在许多关键词语的翻译上，杭行教授还是经常与我保持联系和沟通，以至于一些“关键词”和文句，都是经过我们反复讨论和斟酌后才最后决定下来的。譬如，像诺思在这部著作原文中所经常使用的“impersonal exchange”一词，到底是把它翻译为“非个人化交换”还是把它翻译为“非个人关系化交换”、“非人格化交换”（我以前在《社会制序的经济分析导论》中对此词的译法）、“非亲临的交换”（我以前有时也这样译）？在初译稿中，杭行教授主张把它译为“非人际关系化交换”，开始我一直觉得也不甚合适。在2008年上半年，对于这个词的译法，我甚至较广泛征求了一些学界朋友的意见，收到了不同的意见和建议。譬如,有的朋友主张仍把它翻译为"非人格化交换",[21]有的学者把它译为"非面对面的交换",有的朋友提议把它译为"无人情味交换"。根据在财政学中翻译界一般把"impersonal tax"翻译为"间接税"的惯常译法,山东大学的冯克利教授建议可考虑把"impersonal exchange"翻译为"间接交换"。经过反复考虑,觉得这些学友的提议和建议均有一些道理,但均还不甚到位。最后,由于考虑到这个词在英文中实际上且主要是指在匿名社会或大群体里非人际的、非个人化的、非面对面的、非关系型的交换,最后觉得杭行教授原来的想法可能是个最优选择。故在看这个译本的校样时,我们才最后商定一律把"impersonal exchange"翻译为"非人际关系化交换",而相应地把所有的"personal exchange"翻译为"人际关系化交换"。

最后要指出的是,尽管我在这个译本中只是翻译了前面的一小部分,并且大致只是通过盲读最后审定了全书,但这个译本中的任何误译和纰漏之处——我相信其中定有不少,我亦难辞其咎。由于诺思教授的这部学术名著的英文原版在国内的许多大学图书馆中均有藏书,若学界的任何朋友发现这个"杭译本"中的任何误译之处,或认为有些文句可以翻译得更确切,或觉得有更到位或更优美的中文表达法,还祈请能不吝赐下高见,以便在本书的重印中得以改正。就此,这里谨先致以译者、审校者和出版社编辑者的衷心谢忱!

是为序。

韦　森

于2008年2月27日谨识于复旦

2008年7月13日定稿

注　释

① 在2005年,我应邀到台湾"清华大学"经济系讲演时,曾与刘瑞华教授

一起吃过饭。席间,刘瑞华教授曾对我说起过诺思教授是他在美国华盛顿大学读经济学博士时的导师。

② 在《社会制序的经济分析导论》(韦森,2001)以及在后来的许多文著(譬如,韦森,2005)中,我都反复指出,西方语言中的"institutions"一词的涵义要远比汉语中"制度"一词的涵义宽泛得多。但是,鉴于国内学界的翻译惯例和人们较普遍的习惯用法,我们在这个中译本中还是把它翻译成了"制度"。

③ 在诺思的话语中,"enforcement characteristics"是一个很难用准确的中文词汇来表达或对译的英文词组。这里既可以把它直译为"实施特征",又可以把它简洁地译为"强制性"。在《社会制序的经济分析导论》一书中,我(韦森,2001,第84页,注1)曾指出,在诺思的制度变迁理论的话语中,这个英文词组实际上涵指这样一种社会现实对象性:正式规则和非正式约束在社会现实中得以实现的一种社会机制或一种社会过程,或者更精确地说,它是指介于社会机制和社会过程中间的一种社会状态、一种现实情形和现实结果。

④ 在《理解经济变迁过程》一书中,诺思(North,2005,p. 21)把"路径依赖"简单地解释为"从过去衍生而来的制度和信念影响目前的选择"。

⑤ 这是诺思在后期的著作中所常用的一个词组,我们在这部著作中把它翻译为"制度矩阵"。

⑥ 克利俄:在希腊神话中为主管历史的女神。

⑦ 在后来出版的《理解经济变迁过程》一书中,诺思(North,2005,pp. 137—138)还指出,除了西方近现代历史上荷兰和英国的成功例子以及西班牙和葡萄牙失败的例子外,"法国则处于这两种极端的例子之间"。接着,诺思总结道,西方世界兴起的"关键在于路径选择的多样性以及不断增加的促进经济增长的可能性(相对于单个的统一政策而言)"。诺思还独具慧眼地指出,"即使西欧的相对失败者,也对欧洲的发展起了至关重要的作用"。

⑧ 12—14世纪时欧洲最著名的国际贸易集市。"香槟"为当时法兰西北部的一个伯爵领地。位于意大利和佛兰德斯以及德意志和西班牙之间两条交通要道的交叉点上。由于来自意大利和东方的货物以及从北欧来的商品要在该领地中完成其交换,因而香槟地区曾一度成了当时欧洲的贸易中心。香槟集市在13世纪后半期达到了鼎盛。后来,随着欧洲海上贸易的发展,加上英法百年战争的打击,香槟集市在14世纪衰落了。

⑨ 在新译本中,我们将这段话翻译为:"前景是美好的。我们也许永远也

无法确切地回答所有问题，但我们可以做得更好一些。”

⑩ “布罗代尔钟罩”是秘鲁经济学家德·索托（Hernando de Soto，2000）在其名著《资本的秘密》中所提出的一个概念。按照哈耶克的见解，市场经济是一种不断自我生长和自发扩展的人类合作秩序（extended orders of human cooperation）。在人类历史上，这一合作与扩展秩序常常被一些未知的社会因素和社会机制所制约，致使这一扩展秩序不能自我扩张而占据整个社会，因而历史上的市场经济就好像被困在一个与世隔绝的“钟罩”内。那么，到底是什么因素制约和阻碍了人类合作秩序的自发扩展？这一问题曾被法国著名历史学家布罗代尔（Fernand Braudel）视作为一个一直没有解开的历史之谜。布罗代尔的原话是：“关键问题是要弄清楚那种我毫不犹豫地将之称为资本主义的社会部门为什么好像生活在一个与世隔绝的钟罩里？它为什么无法扩展而占领整个社会？……[为什么]资本快速形成只可能在某些部门中发生，而没能发生在当时的整个市场经济中？”（Braudel，1982，p. 248）根据布罗代尔的这段话，德·索托（de Soto，2000）把那种被哈耶克称作“人类合作的扩展秩序”的市场经济被种种社会因素和机制所阻断和隔膜的社会安排称作“布罗代尔钟罩”。对于这个概念的具体论述，请参见我（韦森，2006）的一篇长文《斯密动力与布罗代尔钟罩——研究西方世界近代兴起和晚清帝国相对停滞之历史原因的一个可能的新视角》。

⑪ 对于这一点，在我（韦森，2007）不久前发表的一篇关于欧洲近现代宪政史的长篇论文中，也给出了一些历史证据和理论解释。在正在撰写的《斯密动力与布罗代尔钟罩：西方世界近代兴起与明清时期中国市场经济兴衰的制度经济反思》一书中，我也将会对欧洲近现代历史上市场秩序的自发型构、成长、扩展与法律制度以及宪政民主政制之间的互动发展过程予以进一步的探讨和解释。

⑫ 在这篇长文中，诺思、瓦理斯和温加斯特提出，在人类历史上曾存在过（着）三种社会秩序：“原始社会秩序”（primitive social order）、“有限进入的社会秩序”和“开放进入的社会秩序”。他们还认为，“原始社会秩序”是指人类以狩猎、捕鱼和采集野生食物为生阶段的早期社会；而“有限进入的社会秩序”在人类历史上已经存在了1万多年，并且目前世界上大多数国家仍然处于这个社会发展阶段。他们认为，与“有限进入的社会秩序”相匹配的政治体制是一种“自然国”（natural states）。他们还认为，迄今为止，世界上只有少数一些国家发展到了“开放进入的社会秩序”，而与这种“开放进入的社会秩序”相匹配的政制形式则

是一种稳定的宪政民主政体(尽管他们没有明确提出这样一个概念,但我觉得他们的实际论述似乎已接近于认识到这是一种"宪政国",用英文来说就是"constitutionalized states"。他们在这篇长文中确曾使用了"a system of constitutional government"这一概念,见 North, Wallis & Weingast,2007,p.41)。在这篇文章中,他们主要讨论了第二种和第三种社会秩序的运作原理。事实上,诺思、瓦理斯和温加斯特的这种对人类社会发展阶段的三分法,恰恰与我在《社会制序的经济分析导论》(韦森,2001,第7章)和《从习俗到法律的转化看中国社会的宪制化进程》(韦森,2003)的长文中所提出的人类经济社会发展阶段的三分法——即"习俗经济"(customary economies)、"惯例经济"(conventional economies)和"宪制化经济"或言"制度化经济"(constitutionalized economies——几乎完全一致。按照我对人类经济社会历史发展阶段的三分法,新石器时代的原始部落、西欧中古时期的村社经济以及近现代在世界的许多边缘地区仍残存的部落共同体,可以被视为一种"习俗经济";中国延续一两千年但却未能型构成完整的民法系统并因而缺乏刚性的产权结构的宗法自然经济,以及西欧近现代市场经济未型构成型之前的封建庄园领主经济,则可以被视为一种典型的"惯例经济";而在西方现代由完备的法律、法规、规章以及行政、工商和企业制度所规约并调控着的成熟的市场经济体系——即法国历史学家布罗代尔所理解的"资本主义经济",以及哈耶克所说的"人类合作的扩展秩序"(extended orders of human cooperation))的成熟阶段,则是一种"宪制化经济"。现在看来,诺思、瓦理斯和温加斯特在2007年的长文中所提出的"原始社会秩序"、"有限进入的社会秩序"和"开放进入的社会秩序"的三分法,恰恰与我在2001年至2003年间所提出的对人类经济社会发展阶段的三分法几乎完全重合,惟一的区别也仅仅在于名称不同而已。

⑬ 在《理解经济变迁过程》一书中,诺思(North,2005,p.104)解释道:"秩序是长期经济增长的必要(但非充分)条件。秩序同样也是建立和维系个人自由和产权的各种条件的必要(但非充分)条件,而我们将个人自由和产权与一致同意的或民主的社会联系在一起。不断增进我们对秩序和无序之根源以及从一种秩序向另一种秩序转型的理解,对于理解经济变迁来说是必需的。"从这段论述中,我们可以看出,诺思晚年转而重视对"社会秩序"的研究。这说明晚年诺思的思想进路更加接近哈耶克,或言更多地受哈耶克思想的影响。在《理解经济变迁过程》中诺思曾多处引用哈耶克的观点,也佐证了这一点。

⑭ 在这篇文章中，诺思和他的合作者(North，Walllis & Weingast，2007，pp. 70—71)还明确地解释说："我们之所以把这种有限进入的社会秩序政治与经济结构称为自然国，原因是：它是人类社会的自然形式。"他们还认为，这种"有限进入的社会秩序"作为人类社会的一种"默认选择"(default option)，在历史上已经存在了1万年。他们甚至认为，"自然国中任何东西都是自然的。并且，由于自然国不是病态的，政策药方将是无用的"。

⑮ 我们注意到，在这篇长文的结论中，诺思、瓦理斯和温加斯特(North，Wallis & Weingast，2007，p. 71)曾深刻地指出："由于自然国具有建立在排他(exclusion)、特权、租金创造之上的内在力量，它们是稳定的秩序，因而，要完成其转型极度困难。"尽管如此，在这篇长文中，诺思及其合作者(North，Wallis & Weingast，2007，pp. 53—63)还是给出了从一种"有限进入的社会秩序"向一种"开放进入的社会秩序"转型的三个门槛条件(three doorstep conditions)：(1)在精英阶层中实行"法治"(rule of law for elites)；(2)建立包括国家在内的一些精英组织的恒存体制(perpetual forms of organization for elites)；(3)对军队的政治控制(political control of the military)。诺思等人还具体解释道，第一个门槛条件可以有利于建立个人可以利用法律和法院的司法制度，且至少对社会的精英阶层来说是如此；第二个门槛条件可以衍生出恒存的合作组织，从而创生出非人际关系化交换；第三个门槛条件能够让一些非军事精英不必依靠在军队中的强大的关系网就能维持人际关系。现在看来，诺思、瓦理斯和温加斯特这种把从"自然国"向"开放进入的社会秩序"转型的所有希望都寄托在这种国度中"精英阶层"内部的"法治"、"恒存组织"和"政治控制军队"的改革思路是非常有问题的，且从某种程度上来说显得有些荒唐和天真。受文章篇幅所限，这里我们就不对他们所提出的这三个门槛条件一一展开讨论了。但这里至少有一点值得特别提出，诺思、瓦理斯和温加斯特在这篇长文中对"法治"(the rule of law)的理解本身就是很有问题的。因为，无论是从宪法学上来说，还是从政治学的基本原理来看，仅想在社会精英阶层中推行"法治"，这本身就已经不再是"the rule of law"了，而必然且必定是一种"人治"和"全能政治"(totalitarian government)。

⑯ 值得注意的是，诺思在这部著作中所讲的信念，不仅仅是指行为人个人的信念，也包括形成一个社会的信念体系的一些"共享信念"(shared beliefs，见 North，2005，p. 83)。

⑰ 这里的"representation"是一个很难翻译为中文的英文概念。这个词

在英文语境里是很清楚的："a description or statement as thing true or alleged"，或"the expression or designation by some term, character, symbol or the like"。在中文中有通过运用语言陈述、说明而确定下来的意思。这里把它翻译为"表述"，显然有些勉强和生硬，这里又显然不能把它翻译为"代表"，把它翻译为"表现"，更是错得离谱。经反复推敲，我决定用"表诠"一词来对译英文的"representation"。这里应该说明，"表诠"不是我自己生造的一个新中文词汇。因为，在古汉语中就有这个词。据考，这个词源自佛学文献，在佛教中意指"从事物的正面做肯定的解释"，因而与"遮诠"（从事务的反面做否定的解释）相对。譬如，在《禅源诸诠集都序》卷三中有言："遮谓遣其所非，表谓显其所是。……如说盐，云'不淡'是遮，云'咸'是表。"

⑱ 诺思这里显然又回到了他在《制度、制度变迁与经济绩效》一书中所提出的一些先前见解中去了。

⑲ 譬如，在《理解经济变迁过程》一书第二篇的"导言"中，诺思（North, 2005, p. 83）就明确指出："我们所建构并试图去理解的这个世界是人类心智的建构物。它不能在人的心智之外独立存在……"。

⑳ 正如诺思（North, 1990a, p. viii）在前言中对他的第二任妻子、也曾是他的著作的编辑Elisabeth Case女士致谢时所说的那样："Last but certainly not least, Elisabeth Case has translated my inelegant prose into English language"（这段话的意思是"最后，但决不是最不重要的，我要感谢Elisabeth Case，是她将我的一些笨拙的字句修改成了可读的语言"）。这句话也说明，诺思教授本人意识到了自己"蹩脚的英文语言"表达问题。

㉑ 这一译法的问题在于理清中文中"人格化"一词的含义到底是什么。按照《现代汉语词典》，"人格化"的含义是："童话、寓言等文艺作品常有的一种创作手法，即对动物、植物以及非生物赋予人的特征，使它们具有人的思想、情感和行为。"从这个含义来看，把"impersonal exchange"翻译为"非人格化交换"显然不行。

参考文献

Arthur, W. Brian 1988, "Self-Reinforcing Mechanisms in Economic Theory", in P. W. Anderson, K. Arrow & D. Pines (eds.), *The Economy as an Evolving Complex System*, Reading, MA.: Addison-Wesley.

Braudel, Fernand, 1982, *Civilization and Capitalism, 15th-18th Century, Vol. 2: The Wheels of Commerce*, trans. from the French by Sian Reynolds, London: Collins. 中译本：布罗代尔，《15—18世纪的物质文明、经济和资本主义》，第二卷，形形色色的交换，顾良译，北京：三联书店1993年版。

Coase, Ronald. H., 1937, "The Nature of the Firm", *Economica*, Vol. 4 (Nov), pp. 386—405.

Coase, Ronald. H., 1960, "The Problem of Social Cost", *Journal of Law and Economics*", Vol. 3(Oct.), pp. 1—44.

David, Paul, 1985, "Clio and Economics of QUERTY", *American Economic Review*, vol. 75, pp. 332—337.

de Soto, Hernando, 2000, *The mystery of Capital, Why Capitalism triumphs in the West and Fails Everywhere Else*, New York: Basic Book. 中译本：德·索托，《资本的秘密》，于海生译，北京：华夏出版社2007年版。

Li, Weisen, 2003, "Douglass North's Theory of Institutional Change and China's Economic Reform", in H. Yamamoto, ed., *China's Economic Development and Structural Change in East Asia*, Kyoto: Kyoto University.

Milgrom, Robert, Douglass C. North & Barry Weingast, 1990, "The Role of Institutions in the Revival of Trade: The Law Merchant, Private Jidges, and the Champagne Fairs", *Economics and Politics*, vol. 2, pp. 1—23.

North, Douglass C., 1961, *The Economic Growth of the United States, 1790—1860*, Englewood Cliffs, N. J.: Prentice Hall, 1961.

North, Douglass C., 1966, *Growth and Welfare in the American Past: A New Economic History*, Englewood Cliffs, N. J.: Prentice-Hall.

North, Douglass C., 1981, *Structure and Change in Economic History*, New York: Norton. 中译本：诺思，《经济史中的结构与变迁》，陈郁、罗华平等译，上海：上海三联书店、上海人民出版社1994年版。

North, Douglass C., 1987, "Institutions, Transaction Costs and Economic Growth", *Economic Inquiry*, vol. 25 (July).

North, Douglass C., 1990a, *Institutions, Institutional Change and Economic Performance*, Cambridge University Press. 中译本：诺斯，《制度、制度变迁与经济成就》，刘瑞华译，台北：时报文化出版公司1994年出版；诺斯，《制度、制度变迁与经济绩效》，刘守英译，上海：上海三联书店1994年版。

North, Douglass C., 1990b, "Ideology and Political/Economic Institutions: An Historical Introduction," in: T. Dye (ed.) *The Political Legitimacy of Markets and Government*, Greenwich, Conn.: JAI Press.

North, Douglass C., 1993, "Toward a Theory of Institutional Change", in W. Barnett *et al* (eds.), *Political Economy, Competition and Representation*, Cambridge: Cambridge University Press.

North, Douglass C., 1994a, "Institutions and Economic Performance", in U. Mäki *et al* (eds.), *Rationality, Institutions and Economic Methodology*, London: Routledge.

North, Douglass C., 1994b, "Economic Performance Through Time," *American Economic Review*, vol. 84, pp. 359—367.

North, Douglass C., 1994c, "The Evolution of Efficient Market in History," in J. James and T. Mark (eds.), *Capitalism in Context: Essays on Economic Development and Cultural Change in Honor of R.. M. Hartwell*, Chicago: University of Chicago Press, pp. 257—264.

North, Douglass C., 1995a, "The Paradox of the West," in R. Davis (ed.), *The Origins of Modern Freedom in the West*, Stanford, Cal.: Stanford University Press, pp. 1—34.

North, Douglass C., 1995b, "The New Institutional Economics and Third World Development," in J. Harris, J. Hunter and C. Lewis (eds.) *The New Institutional Economics and Third World Development*, London: Routledge, pp. 17—26.

North, Douglass C., 1995c, "Review of Rationality and Coordination," *Journal of Economic Literature*, vol. 33, pp. 821—822.

North, Douglass C., 1997a, "Prologue", in J. Drobak and J. Nye (eds.), *The Frontiers of the New Institutional Economics*, London: Academic Press, pp. 3—12.

North, Douglass C., 1997b, "Transactions Costs through Time," in C. Menard (ed.), *Transaction Cost Economics: Recent Development*, Cheltenham, UK: Edward Elgar:, pp. 149—160.

North, Douglass C., 1997c, " Cliometrics-Forty Years Later," *Americon Economic Review*, vol. 87, pp. 412—414.

North, Douglass C., 2005, *Understanding the Process of Economic Change*, Princeton, NJ: Princeton University Press. 中译本：诺思，《理解经济变迁过程》，钟正生、邢华等译，北京：中国人民大学出版社 2008 年版。

North, Douglass C. & Lance Davis, 1971, *Institutional Change and American Economic Growth*, Cambridge: Cambridge University Press.

North, Douglass C. & Robert Thomas, 1973, *The Rise of the Western World: A New Economic History*, Cambridge: Cambridge University

Press. 中译本:诺思、托马斯,《西方世界的兴起》,厉以平、蔡磊译,北京:华夏出版社 1999 年版。

North, Douglass C. et al (ed.), 1996, *Empirical Studies in Institutional Change*, Cambridge University Press. 中译本:诺思,《制度变迁的经验研究》,罗仲伟译,北京:经济科学出版社 2003 年版。

North, Douglass C. &John J. Wallis, 1994, "Integrating Institutional Change and Technical Change inEconomic History: A Transaction Cost Approach," *Journal of Instituional and Theoretical Economics*, 150, pp. 609—624.

North, Douglass C. John J. Wallis & Barry R. Weingast, 2007, "A Conceptual Framework of Interpreting

Recorded Human History," George Mason University: Mercatus Center Working Paper, No. 75.

Searle, John R. 1983, *Intentionality: An Essay in the philosophy of Mind*, Cambridge: Cambridge University press.

Searle, John R. 1995, *The Construction of Social Reality*, New York: Free Press.

Weber, Max, 1958, *The Protestant Ethic and the Spirit of Capitalism*, trans. from the German by T. Parsons, London: Allen and Unwin.

诺思,道格拉斯·C.,1995,《制度变迁理论纲要》,载北京大学中国经济研究中心,《经济学与中国经济改革》,上海:上海人民出版社,第 1—10 页。

韦森,1999a,《注意哈耶克,慎思诺思》,《经济学消息报》,第二期(总第 314 期),第四版。

韦森,1999b,《评诺思的制序变迁理论》,香港:《中国社会科学季刊》,冬季号,第 146—160 页。

韦森,2001,《社会制序的经济分析导论》,上海:上海三联书店。

韦森,2003,《从习俗到法律的转化看中国社会的宪制化进程》,《制度经济学研究》,第 2 辑,第 187—226 页。

韦森,2005,《经济学与哲学:制度分析的哲学基础》,北京:世纪文景出版公司。

韦森,2006,《斯密动力与布罗尔钟罩——研究西方世界近代兴起和晚清帝国相对停滞之历史原因的一个可能的新视角》,《社会科学战线》,第 1 期,第 72—83 页。

韦森,2007,《欧洲近现代历史上宪政民主政制的生成、建构与演进》,《法制与社会发展》,第 5 期,第 101—118 页。

前言

历史是重要的。其重要性不仅在于我们可以从历史中获取知识，还在于种种社会制度的连续性把现在、未来与过去连结在了一起。现在和未来的选择是由过去所型塑的，并且只有在制度演化的历史话语中，才能理解过去。将制度整合到经济理论与经济史的分析中去，是改进二者最重要的步骤之一。

本书将给出一种制度与制度变迁理论的纲要。在过去20年中，我一直专注于研究制度问题；尽管如此，在一些先前研究的基础上，本书在探讨政治制度与经济制度的本质以及它们是如何变迁方面，要比我先前的研究更加深入。本书大部分分析的重点在于明确厘定制度的含义，弄清制度与组织的区别是什么，并厘清制度是如何影响交易费用和生产成本的。

本书特别关注人类合作问题——尤其是那些使各种经济能从贸易中获得收益的合作。这一问题曾是亚当·斯密《国富论》一书的中心论旨。制度的演化会创造一种合宜的环境，以有助于通过合作的方式来完成复杂的交换，从而促成经济成长。当然，并非所有的人类合作都具有社会生产性。实际上，在解释诸种制度框架的演化时，除了注重分析成功的原因外，本书对那些诱致经济停滞和衰落的原因也给予了同样的关注。

我的首要目标是建立一种研究问题的方法。这是演化出一种制度变迁理论所必需的第一步。因此，本书的大部分内容旨在发展出一种分析框架。本研究所涵盖的历史具有例证的性质，其作用在于表明这一研究方法的优长，而远非对一些最终必须检验的假说进行验证。尽管本书首先是写给经济学家和经济史学家的，但是我相信，这里的论述同样会引起其他社会科学家的兴趣。鉴于这一点，我尽量减少经济学专用术语的使用，以使非经济学者也能明白本书的分析。

在本书思想的形成过程中，许多人均起过一定的作用，以至于在此我觉得很难从谁开始来表达谢忱。本书初稿写于我在行为科学高级研究中心做访问学者期间（由国家科学基金 BNS8700864 项目资助），Gardner Lindzey 和 Bob Scott 以及工作人员为这一研究提供了非常友好的环境。我特别要感谢 Carol Baxter 不厌其烦地向我灌输计算机的神奇性，从而彻底改变（改进）了我的写作方式。当年同在该中心工作的 Robert Keohame，Steven Krasner，Mark Machina 以及 Ken Sokoloff 均对这一研究的进展作出了贡献。

这里还要特别感谢 Barry Weingast 和 John Nye。我曾与他们讨论过本书的许多观点，他们还多次阅读本书的草稿，并做了大量评论。

在撰写本书的过程中，我曾阅读过 Thrainn Eggertsson 的《经济行为与制度》（剑桥大学出版社 1990 年版）一书。该书对新制度经济学做了精彩综述。他的研究澄清了我对许多问题的思考，对我确立自己的研究方向颇有助益。

我在华盛顿大学的其他同事，如 Lee Benham，Art Denzau，John Drobak，Gary Miller 以及 Norman Schofield，都曾阅读过本书的一个较早的草稿，并提出过一些宝贵的建议。其他阅读过本书初稿并提供过珍贵评论的有：James Alt，Robert Bates，Robert Ellickson，Stanley Engerman，Philip Hoffman 以及 Margaret Levi。然而，我所要感谢的，远不止这些曾读过初稿的同仁。在过去的 6 年里，在一些会议和大学的座谈会中，我曾讲述过本书的部分内容，并收到过许多宝贵的建议，这对我形成研究计划很有帮助。

刘瑞华，特别是Werner Troesken和Brad Hansen，均是勤奋且值得信赖的研究助理，Annette Milford也曾为本书初稿的撰写付出过长时间的辛劳。

最后，但决不是最不重要的，我要感谢Elisabeth Case，她将我的一些笨拙的字句修改成了可读的英语语言。更为重要的是，她还与我一起分享了在本书整个写作过程中的沮丧和灵感。

道格拉斯·C.诺思

1990年1月写于密歇根州本西县(Benzonia)

目　录

CONTENTS

第 1 篇

制　　度

1

制度与制度变迁绪论

制度是一个社会的博弈规则,或者更规范地说,它们是一些人为设计的、型塑人们互动关系的约束。从而,制度构造了人们在政治、社会或经济领域里交换的激励。制度变迁决定了人类历史中的社会演化方式,因而是理解历史变迁的关键。

制度对经济绩效的影响是无可争议的。不同经济的长期绩效差异从根本上受制度演化方式的影响,这也是毋庸置疑的。然而,由于尚无任何分析框架将制度融入到经济学与经济史中去,无论是流行的经济理论还是计量史学(cliometric history),都未能揭示制度在经济绩效中的作用。本书的目的就是提供这样一种基本框架。这一分析的意义就在于对大部分社会科学——尤其是经济学——进行重新审视,并对历史变迁作出一种新的诠释。

在本书第1篇,我们将讨论制度的本质以及制度对经济(社会)绩效的影响。然后,第2篇将简要地给出一种制度变迁理论,不仅为经济史或其他历史提供一个框架，而且还要解释过去是如何影响现在和将来的，以及渐进性的制度变迁方式对一定时点上人的选择集合的影响，另外还要讨论路径依赖的实质（nature of path dependence）。最后，第 3 篇要完成本书的基本目标，即解释历史过程中不同经济的绩效差异。

I

制度通过为人们提供日常生活的规则来减少不确定性。因为有制度作为人们相互交往的指南，当我们想在街上向亲朋致意、驾驶汽车、买橘子、借钱、做生意、安葬死者时，就能知道（或能很容易地学到）如何去做。假如我们在不同国家（比如在孟加拉）进行交易，我们能很容易地观察到制度的区别。用经济学的行话来说，制度界定并限制了人们的选择集合。

制度包括人类设计出来的、用以型塑人们相互交往的所有约束。制度是正式的，还是非正式的？答案是：二者兼有。我对正式约束（如人为设计的规则）和非正式约束（如惯例）与行为准则均感兴趣。制度可以是由人们创造出来的，如美国宪法；也可以仅仅是随着时间推移而演化出来的，如普通法。我对创造出来的制度和演化出来的制度均感兴趣，但为了便于分析，我们将对它们分别进行探讨。此外，制度的其他诸多属性也将会被讨论到。

制度约束包括两个方面：有时它禁止人们从事某种活动；有时则界定在什么样的条件下某些人可以被允许从事某种活动。因此，依照此定义，制度乃是一种人类在其中发生相互交往的框架。这和团体竞技体育的游戏规则十分相似。这即是说，它们由正式的成文规则以及那些作为正式规则之基础与补充的典型的非成文行为准则所组成，诸如不得故意伤害对方运动队中的核心队员等。这一比喻也意味着，规则和非正式准则有时会被违反，而且也需要进行处罚。因此，制度运行的关键在于犯规确有成本，并且惩罚也有轻重之分。

让我们继续以体育运动为例来说明问题。正式规则、非正式规则、实施的形式与有效性，三者一起决定了一项竞赛的整体特征。有些运动队就是靠不断犯规（因而声名狼藉）和威胁对方来获胜的。这种策略是否划得来显然取决于监督的有效性和处罚的轻重。有时，即使是在成功的犯规可能得手的情况下，行为准则（好的赛风）仍能对运动员起到约束作用。

本书对制度与组织进行了严格的区分。与制度一样，组织也为人们的相互交往提供某种结构。当我们探究由制度框架所引起的成本时，我们会发现这些成本不仅仅来源于这一框架本身，而且还来自于这一框架下所发展出来的组织。从概念上，明确区分开“规则”与“参与者”（players）是十分必要的。规则的目的是确定比赛的进行方式，而参赛队的目标则是要在这套规则下赢得比赛——融技巧、战术和配合于一体，有时运用正当的手段，有时则运用恶劣的手段。将参赛队不断发展的策略和技巧模型化，与将规则的创建、演化及后果模型化，是两套截然不同的过程。

组织包括政治团体（政党、参议院、市议会、行政机构）、经济团体（厂商、工会、家庭农场、合作社）、社会团体（教堂、俱乐部、体育协会），以及教育团体（学校、大学、职业培训中心）。这是些为达至某些目标并受共同目的约束的个人团队。将组织模型化，就是要分析其治理结构、技能，以及在长期组织如何通过“干中学”（learning by doing）而获得成功。什么样的组织会出现，以及它们如何演化，这两方面均受到制度框架的根本性影响。反过来，它们也影响着制度框架的演化。不过，如上所述，本书要着重研究的，是作为基本博弈规则的制度，而对组织（及其企业家）的关注，则主要是基于其为制度变迁的动因这一点。因而，本书分析的重点是制度与组织之间的互动。组织乃是在既有约束条件（包括制度约束和经济理论中所说的一些传统性约束）所决定的机会集合下有目的地创立的，同时，就达致其目标而言，组织乃是促成制度变迁的主角(a major agent)。

将对基础性规则的分析与对参与者策略的分析区分开来,是构建一种制度理论的必要前提。将制度界定为人类给他们自己施加的约束,这一定义与新古典经济学的选择理论形成了互补;而将制度理论置于个人选择基础之上,则是弥合经济学与其他社会科学理论差异的重要步骤。运用个人选择理论之所以是必需的,是因为任何具有逻辑一致性且可检验的假设集合,都必须建立在有关人的行为理论的基础之上。微观经济理论的长处,就在于它是建立在一系列对个人行为的假定基础上的(尽管在第3章我将吁请修正这些假定)。制度是人类的创造物,它们演化着,并为人类所改变,因而,我们的理论必须从分析个人开始。同时,制度对个人选择所施加的约束无所不在。将个人选择与制度对选择集合的约束结合起来,是整合社会科学研究的重要一步。

制度通过其对交换与生产成本的影响来影响经济绩效。与所用技术一起,制度决定了构成总成本的交易费用和转形(生产)成本。本书第一篇的首要目标就是要解释制度的实存与本质,从而刻画在一个经济中制度是如何进入成本函数的。

Ⅱ

制度在社会中的主要作用,是通过建立一个人们互动的稳定(但不一定是有效的)结构来减少不确定性。然而,制度的稳定性丝毫不否定它们处于变迁之中这一事实。从惯例、行为准则、行为规范到成文法、普通法,及个人之间的契约,制度总是处在演化之中,因而也在不断改变着对我们来说可能的选择。尽管我们生活在一个制度变迁速率甚快的世界中,但变迁在边际上可能宛如冰川移动般缓慢,以至于我们须以历史学家的眼光观察问题,方能察觉。

制度变迁是一个复杂的过程。这乃是由于制度变迁在边际上可能是一系列规则、非正式约束、实施的形式及有效性变迁的结果。此外，制度变迁一般是渐进的，而非不连续的。至于制度是如何渐进性变迁的，为什么会是这样，甚至非连续性的变迁(如革命或武装征服)也绝不是完全不连续的，这些都是由于社会中非正式约束嵌入(imbeddedness)的结果。尽管正式约束可能由于政治或司法决定而在一夕之间发生变化，但嵌入在习俗、传统和行为准则中的非正式约束可能是刻意的政策所难以改变的。这些文化约束不仅将过去与现在和未来连结起来，而且是我们解释历史变迁路径的关键之所在。

人类历史的核心疑难问题在于如何解释历史变迁路径中的巨大差异。不同社会的差异是如何发生的？不同社会的绩效差异甚大的原因何在？我们毕竟都来自原始狩猎和采集部落。从标准的新古典理论与国际贸易理论来解释，这一差异会更加地令人迷惑不解。因为根据这些理论，不同经济经过长时间的商品、劳务和生产要素交易后，会逐渐趋于一致。事实上，在相互交易的几个先进工业国家中，我们可以看到某些趋同性。但过去几千年的主流特征却是：世界逐渐演化成为了许多在宗教、种族、文化、政治和经济方面都迥然不同的社会。富国与穷国之间、发达国家与不发达国家之间的差距一如往昔，可能还更甚于以往。如何解释这种差异？也许，同样重要的另一个问题是：导致差异不断扩大，或产生趋同的条件是什么？

这个谜团中还包含了更多的疑问。如何解释一些社会所经历的经济福利上的长期停滞或绝对衰退？根据阿尔钦(Alchian)于1950年提出的进化假说(evolutionary hypothesis)，无处不在的竞争将剔除低劣的制度，而使那些能更好地解决人类问题的制度得以留存下来。

让我简要回顾一下我在处理这个核心问题时所走过的路径。在我与托马斯(North and Thomas，1973)所著的书中，我们曾指出：制度决定经济绩效，而相对价格变化则是制度变迁的源泉。不过，当时我们给出的主要是一个效率上的解释。相对价格变化产生了构建更有效率之制度的激励，而无效率制度之所以长期存留——以西班牙为例——是由于统治者因财政上的需要而只顾及短期利益，致使个人激励与社会福利发生背离。但这个特例与理论分析框架并不完全吻合。

在《经济史中的结构与变迁》(North，1981)一书中，我放弃了以效率来考量制度的视角。统治者从其自身利益出发来设计产权(property rights)，而交易费用则使得典型的无效率产权普遍存在。这就可以解释为何古已有之且一直广泛存在着的产权并没有带来经济成长的现象。在那本书里，我提到了对阿尔钦的组织进化论观点的困惑，但未能有解答。我们可以解释诸种无效率制度的存在，但问题是，竞争压力为什么没有将它们淘汰？为什么在经济停滞时期，政治企业家(political entrepreneurs)没有迅速推出一些更成功的政策来？我们又该如何解释长期经济绩效间的显著差异？

本书将回答以上这些问题。解决问题的关键在于：要对制度与组织之间的差别以及二者之间的交互作用作出解释，因为，制度与组织的交互作用决定了制度变迁的方向。制度，与经济理论中那些标准的约束一起，决定了存在于一个社会中的机会。组织乃是为了利用这些机会而被创造出来的。组织的演化又会改变制度。作为结果的制度变迁路径取决于：(1)由制度和从制度的激励结构中演化出来的组织之间的共生关系(symbiotic)而产生的锁入(lock-in)效应，(2)由人类对机会集合变化的感知和反应所组成的回馈过程(feedback process)。

锁入效应的产生，是由于制度矩阵具有报酬递增的特征，而这种特征是从组织对其所由而生的制度框架以及衍生于制度的网络外部性(network externalities)的依赖中产生的。由于制度框架中蕴含着激励，因此，无论是正式的，还是非正式的制度约束，都会诱发生成特定的交易组织。这些组织的获利水平也由激励因素决定。

渐进性变迁源于政治或经济组织的企业家有如下感知：在既有制度框架的某些边际做些改变，将使他们的境况得到改善。但这种感知的深浅，强烈地依赖于他们获取的信息的多寡，以及他们是如何处理这些信息的。如果政治市场与经济市场是有效率的(换言之，交易成本为零)，那么任何选择都将是有效率的。亦即行为人的模型总是正确的。即便他们起初的模型不正确，信息回馈机制也会帮他改正。但这种理性人模型只会将我们引入歧途。人们常常不得不在信息不完全的情况下行动，处理那些通过心智构念(mental constructs)而得来的信息，因而，他们常常是行进在无效率的路径上。政治和经济市场的交易费用固然催生了无效率产权，但使这类产权得以长期驻存的，则是市场参与者在试图理解复杂问题时所采用的不完美的、主观主义的模型。

将成功的路径与持续失败的例子作一比较，应当能加深我们对制度变迁这一特性的理解。先来看看我们熟悉的美国经济史——19 世纪的经济成长。美国经济的基本制度框架在 19 世纪初已演化完成[宪法和西北法令(North-West Ordinance)，褒奖勤勉的行为规范]，这极大地推动了经济组织和政治组织(国会、地方政治团体、家庭农场、商人协会和航运企业)的发展。这些组织的最大化行动带来了生产能力的提高与经济成长，二者又都直接或间接地通过对教育投资的引致性需求而实现。教育投资不仅使免费公共教育体系得以确立，还通过建立农业实验机构的方式提高了农业生产能力。莫里尔法案(Morrill Act)使公立大学的土地使用有了保证。

为了利用市场机会，经济组织不断演化，这不仅提高了组织自身的效率(Chandler，1977)，还逐渐地改变着制度框架。到 19 世纪末，不仅政治和司法框架被改变了[第十四修正案(Fourteenth Amendment)、孟恩诉伊利诺伊州案(*Munn v. Illinois*)]，产权结构被修正了[谢尔曼法案(Sherman Act)]，许多行为规范和其他非正式约束也发生了改变(反映在对一些问题——如奴隶问题、妇女地位、节欲观等——的看法的改变以及行为规范的改变上)。不论是政治或经济的交易费用，还是行为人的主观感知(subjective perceptions)，都使得选择不可能总是最优的，或总能提高生产能力和改善经济福利(不管其含义是如何界定的)。获利机会有时来自于设立关税壁垒、剥削奴隶，有时来自于市场垄断。有时，或者说时常，政策的实际效果与其初衷背道而驰。因此，无论是过去还是现在，制度总是一个“混合袋子”（mixed bag），在其中，既有促使生产能力提高的因素，也有降低生产能力的因素。同样地，制度变迁也总是能为上述这两种轨迹相反的运动提供机会。但从总体上看，19世纪的美国经济史是一段经济成长的历史，因为其基本制度框架始终强化着对组织从事生产性活动的激励，虽然有时效果也是适得其反。

对一个提供反向激励（与上文所述相比）的制度框架进行描述，那将非常接近于当今许多第三世界国家的情况，也将与世界经济史中的许多情节相符。在这些制度框架下，政治与经济企业家所面对的机会是混杂的，其中的大部分机会都对具有再分配性质的活动有利，而不是对生产性活动有利；它们导致垄断，而不是形成竞争性的环境；它们限制机会而不是扩大机会；它们极少能诱发提高生产能力的教育投资。在这种制度框架下发展起来的组织将会越来越有效率——只不过，这种效率体现在使社会愈加缺乏生产性、基本制度结构愈加不适应生产性活动方面。这样的路径将一直延续下去，因为这些经济体的政治与经济市场的交易费用，以及行为人的主观模型，都不能使他们逐步迈向更有效率的结果。

本书将通过提供一个制度变迁研究的理论基础，来分析这些有着对比意味的故事。下一章将探讨的理论基础是针对制度的基本角色——人类合作问题的。第3、第4两章将给出制度理论的基本架构，因而十分重要。在第3章，我将分析——批判性地——我们目下所持的有关人类行为的假定，并要对此做些修正。第4章将从理论上分析交换的成本性质（costliness of exchange），以及其异常重要却尚不为人知的涵义。

其后的三章将阐述制度的三个层面：正式规则、非正式约束，以及实施机制的有效性（effectiveness）。然后，在第8章，我将制度、交易以及转形（生产）成本这几个范畴梳理在了一起，并阐述它们之间的联系。

本书第2篇给出了制度变迁的分析框架。第9章阐释组织以及其与制度交互作用的方式。第10章着力分析制度的稳定特性，这对于理解制度变迁的本质来说，是不可或缺的。我们所观察到的变迁往往是渐进的，而不是间断的（尽管我也将探讨革命式的变迁）。渐进性制度变迁的本质，再加上个人解读周遭环境并作出选择时所采用的不完美方式，导致了路径依赖以及历史的相关性特征（见第 11 章）。

第 3 篇将制度及其变迁方式与经济绩效联系在一起。在第 12 章，我考察了对某一时点的或长期的经济绩效进行制度分析的理论内涵。第 13 章、第 14 章则将这一分析框架应用了经济史的研究。第 13 章考察了历史上那些不断向复杂结构演变的经济体的制度变迁特征，并将历史交换的稳定形式与导致西欧走上现代经济成长之路的动态制度变迁的过程做了比较。第 14 章指出将制度分析方法有系统地整合进经济史研究的意义，并说明其在历史研究中更为广泛的应用。

2

合作:理论问题

在社会科学中,我们所创立的理论与我们所收集到的有关人类日常交往的证据之间,总存在着一种紧张关系。这一点在经济学中表现得尤为突出。新古典理论的逻辑寓意与经济绩效(且不论该如何界定与衡量)之间的反差何其大哉。自然,新古典理论对知识的发展贡献甚大,且在分析发达国家的市场方面也能轻松胜任。但从另一个方面来看,对某些类型的组织,它却尚无法洞视,如中世纪庄园、香槟集市(Champagne fairs)* 或苏克(suq)这种在中东和北非都十分普遍的摊贩市场等。它不仅不能清楚地说明这些组织的交换过

---

* 指12—14世纪时欧洲最著名的国际贸易集市。“香槟”为当时法兰西北部的一个伯爵领地,位于意大利和佛兰德以及德意志和西班牙之间两条交通要道的交叉点上。由于来自意大利和东方的货物以及从北欧来的商品要在该领地中完成其交换,因而香槟地区曾一度成为当时欧洲的贸易中心。香槟集市在13世纪后半期达到鼎盛。后来,随着欧洲海上贸易的发展,加上英法百年战争的打击,香槟集市在14世纪衰落了。——译者注

程,而且也不能解释为何那些显见无效率的交换形式却能驻存上千年之久。

发展经济学家经过40年的艰苦努力,却仍然不能令人满意地解释存在于不同经济之间的绩效差距,以及为何这种差距能长期存在。道理很简单:他们所倚重的理论相对于所要解决的问题来说,是力不能逮的。发展经济学理论建立在两个基本假设的基础之上,即稀缺性(scarcity),以及由此产生的竞争(competition)。其在理论上之所以能自圆其说,是由于它假定了交易过程是无摩擦的,即:产权完善并且没有执行成本,信息获取也同样不需要任何成本。稀缺性和竞争性假定无疑是强有力的,且业已成为了新古典理论的重要支柱,但其他的假设却不能支撑很久。

在过去的30年里,另外一些经济学家和社会科学家也曾就这些问题进行推敲与修正,以期发现这种理论解释的疏漏之处。直白地说,这种理论解释所忽略的,是一种对人类协调与合作之本质的理解。如今,对于亚当·斯密的追随者来说,这一点显然已不足为奇了。因为斯密关注的不仅是那些能产生合谋与垄断的合作形式,还包括那些能使贸易收益得以实现的合作形式。但是,对罗纳德·科斯(Ronald Coase)著名的《社会成本问题》(1960)一文的种种疑惑与误解,却使我们清楚地看到,要让经济学家承认制度在获取潜在贸易收益方面的作用,是多么的困难。在该文以及《企业的性质》(Coase,1937)一文中,科斯道出了许多基础性的重要的东西。其中,对重构经济学理论具有深远意义且最为关键的一个论点是:倘若交易是有成本的,那么制度就是重要的。而正如瓦理斯和我(Wallis and North,1986)在考察美国经济的市场交易费用时所指出的那样,交易确有成本。

I

如果说经济学家在将制度整合进其理论模型方面进展缓慢的话,

那么，在运用博弈论框架来探讨合作问题方面，他们与其他一些社会学家倒是进展神速。运用这种方法做些粗略的分析，采用当下流行的过于简化的方式，很容易得出这样的结论：追求财富最大化的个人将发现，在游戏重复进行的情况下，在能充分掌握其他参与者过往表现的信息的情况下，或在参与者为数不多的情况下，与他人合作将是值得的。这种粗浅的结论，遮蔽了众多博弈理论家们丰富（且精妙）的思想的光芒。这些学者曾拓展、剖析并修正了（还找出了例外情况）诸种限定条件，从中提炼出相当丰富的含义。在下文中，我还将更多地谈到博弈理论，因为博弈理论正如纯粹的新古典经济模型一样，能为实际绩效提供很好的参照。

让我再反过来阐述博弈问题。当博弈不是重复进行的（或有终局存在），或者缺乏其他参与人的信息并且参与者人数众多时，合作将难以维持。这两个极端，正好反映了现实世界中两种截然不同的情况。当个体间重复交易、相互了解且交易团体规模较小时，我们通常能在其中观察到合作行为；而在另一个极端，在一个高度专业化且劳动分工具有非人际关系化（impersonal）特征的高技术世界，人们竭力实现贸易之潜在经济收益的情况就很少见。因为人们未必进行重复交易，也未必认识交易对手或仅仅与少数人发生贸易关系。事实上，非人际关系化交换（impersonal exchange）的本质与博弈理论的合作条件正好相反。然而，现代西方世界又确乎是存在着的，怎么会这样？为什么在漫漫的历史长河中，在当今世界许多经济中，交易的潜在收益没有被获取？而又是为什么，现代西方社会却发挥了（至少是部分地）这种经济潜能？对这两个问题作出清楚而明确的回答，将不仅有助于解决经济发展问题，还能为解决更重大的、始终缠绕着我们的人类冲突问题提供一些启示。

财富最大化行为与社会合作结果之间的不一致，是博弈理论演化中的一个关键因素。作为博弈论之主轴的囚徒困境（prisoner's dilemma）问题，与曼瑟尔·奥尔森（Mancur Olson，1965）的搭便车困境

(free-rider dilemma)是密切相关的。二者都揭示了人类在合作与协调问题上的令人沮丧的前景。然而,最令人沮丧的,莫过于奥尔森的分析与囚徒困境问题所反映出来的其分析方法上的静态本质,以及其事实上的单次博弈(one-shot game)基础。也就是说,当囚徒困境博弈只进行一次时,对博弈双方来说,背叛(defect)就是占优策略(dominant strategy),这使得最有利于博弈者的总和福利的结果不能达成。然而,众所周知,当相同的情境一次又一次地重复时,背叛就不一定是占优策略了,正如我们在许多集体行动中所看到的那样。在一个重复囚徒困境博弈中,占优策略并不存在。阿克塞尔罗德(Robert Axelrod)在一个现今很有名的锦标赛(now-famous tournament)中发现,在不断重复进行的比赛中,选手的制胜策略当是“以牙还牙”(tit-for-tat),即选手用对手使用的方法来回敬对方。这一发现使阿克塞尔罗德著名的《合作的演化》(*The Evolution of Cooperation*,1984)一书得以诞生。该书对人类在不存在强制性国家干预的情况下,通过合作解决问题的能力持乐观态度。

在何种条件下合作能得以维持?回答这一问题的文献如今已是汗牛充栋。其中有博弈论方面的,也有些是出自于那些对政治模型化过程感兴趣的非博弈论作者之手。其中有三部集中讨论合作维持问题的著作,我以为可以用来凸显出本书的研究重点。

拉塞尔·哈丁(Russell Hardin,1982)着重研究的是 n 个人的囚徒困境问题以及大集团集体行动的困难。哈丁强调,集体行动的困难不仅与团体的规模有关,还与成本一收益的比值[①]有关。尤其是在非对称性存在,从而参与者在重复博弈中需要探究他人的动机与能力的情况下,惯例(由此导出某种形式的社会秩序)将有可能生发出来。哈丁认为,当参与者采取条件策略(conditional strategies)时,惯例也会产生,但条件策略往往与监督和强制(通过威胁)有关。

迈克尔·泰勒(Michael Taylor,1982,1987)研究了无政府(无国家)状态下社会秩序得以存在的条件。他断言社群(community)是在无政府状态下形成社会秩序的基础。社群的主要特征包括：成员拥有共同的信仰和规范，相互间存在着直接而复杂的联系且互惠互赖。泰勒认为，国家摧毁了社群的基本构成要素[蒂特马斯(Titmuss)和其他一些人也提出了这个观点]。事实上，即便是在利他主义能发挥一定作用的情况下，社群的构成要素仍有可能被国家的强制行为削弱或摧毁。

霍华德·马格利斯(Howard Margolis，1982)创立了一个模型。在其中，他假设个人行为部分地由利他动机决定。马格利斯认为，个人有两种类型的效用函数，一类强调团体偏好，另一类强调自利性偏好，个人在这两种效用函数之间进行权衡(trade-off)。这一模型使他能够解释那些在个人财富最大化行为假设下所无法解释的特定的投票行为模式。

这三部著作基本上代表了在研究维持合作的条件方面人们所做的主要努力。至此，我们该面对本书讨论的一个重要问题了，即，在不存在霍布斯式的(Hobbesian)、藉由国家的强制力量来创造合作结果的情况下，自愿性合作存在的条件到底是什么？从历史上看，经济成长往往出现在政治强制高度发展的制度框架内。政治无政府主义在高收入国家中是不存在的。而另一方面，国家强制力量在历史上的大部分时期对经济成长却又是有害无益的(North，1981，Chapter 3)。可如果没有第三方(a third party)来强制实施合约，要维持复杂的交易又是困难的。自然，就这类始终困扰着我们的、涉及人类问题之根本解决之道的议题，争论还在继续。从最悲观的角度看，泰勒有关社群与合作解的观点似乎并不适用于人数众多且信息不完全的情况。诺曼·斯科菲尔德(Norman Schofield)在评述这三部著作时，将问题表述如下：

> 合作的根本性理论问题是：个人通过何种方式来获知他人的偏好和可能的行动。更进一步说，这是一个共同知识(common knowledge)问题。因为个人 i 不仅需要知道其他人的偏好，还必须意识到他人也知道 i 自身的偏好与策略。

在有限制性条件的 N 人囚徒困境(restricted N-person prison dilemma)中,一些博弈者或许能很有把握地知道博弈对手的类型,从而该问题可以得到部分解决。在有限制性条件的社群中,泰勒的观点是有道理的:在那里,社会规范广为人知,并且已成为了共同知识的基础,而人为设计的、旨在使行动处于合理范围内的机制,将使这种知识得以持存。不过,在更一般性的社会状况下,个人想要合理地预期他人的想法就不是那么容易了。因而,合作的基础理论问题可以表述为:在一个给定的环境中,一个当事人(agent)至少需要掌握多少有关其他当事人的想法以及需求的信息,才能形成对他人行为的整体概念,并能够利用这种知识与他人沟通?我认为,这个问题是任何一个有关社群、惯例以及合作分析的核心(Schofield,1985,pp. 12—13)。

Ⅱ

博弈论点出了合作问题,并且探讨了那些能改变博弈者报酬的特定策略。但在博弈论清晰、明确而简单的世界与人们赖以型构人类互动的复杂、模糊而又失误连连的方式之间,仍存在着巨大的差距。加之,博弈论模型与新古典模型一样,也假定了博弈者是追求财富最大化的。但是,正如某些实验经济学文献所揭示的,人类行为显然远比这种简单的行为假定所涵盖的内容复杂得多。尽管博弈论也指出了在不同情况下合作与背叛的收益,但却未能从理论上对交易的潜在费用加以说明,也没有讨论在不同的制度结构中交易费用是如何改变的。因此,我们还是要回到科斯定理(Coase theorem)那里,才能理清这些问题。

科斯在其论文(Coase,1960)中直截了当地说:若交易无成本,则新古典经济学的有效竞争结论就能成立。这是因为,无论初始制度安排如何，有效率市场的竞争结构总能使交易双方在无需任何成本的情况下，达到总和收益最大的结果。交易的无成本，使制度安排可以被绕过甚至被改变。当今现实世界之所以与这些假设条件有某种程度的类似，是由于套利以及有效的信息反馈机制使得竞争力量是如此强大，以至于科斯的零交易费用条件能近似地达到，交易各方因而能够获得新古典理论所内含的交易收益。换言之，竞争消除了在博弈论模型中能给背叛行为带来收益的那种不完全与非对称信息。

然而，上述结果的产生，需要极其严格的信息与制度条件。它要求人们不仅有目标，而且还懂得选择正确的方式来实现其目标。可人们怎么知道什么是正确的方式（即，有正确的理论来指导）呢？对此，新古典理论给出的解释——内含于实体（或工具）理性主义模型中——是：即便行为人的初始模型可能是多种多样的，甚或是错误的，信息回馈过程（以及套利者）将匡正那些不正确的模型，惩罚那些偏离行为，从而引导幸存者获得正确的模型。

竞争市场规训模型（discipline-of-the-competitive-market model）中还暗含了一个更为严格的条件：当交易费用十分显著时，市场制度将能相应作出调整，以诱使当事人去搜寻那些建立正确模型所必需的信息。这一观点不仅意味着制度是为了实现效率而被设计出来的，还意味着经济分析可以撇开制度因素，因为制度在决定经济绩效方面并不具有独立的地位。

上述所有严格的条件都经不起仔细推敲。个人在不完全信息的条件下行动，使用的是源于主观的、错误连连的模型；而信息反馈根本不足以匡正这些主观模型。制度未必或者说通常不会是为了实现社会效率而被创造出来的，相反，它们（起码是那些正式规则）之被创立，是为了服务于那些有制定新规则的谈判能力的人的利益的。在零交易费用的世界里，谈判能力不会影响产出效率；而在一个交易费用为正的世界中，它就能够做到这一点。而且，由于制度具有板块式（lumpy）不可分割的特性，谈判能力事实上还决定了长期经济变迁的方向。

如果说经济体系能通过创立相对有效率的制度来获致交易收益,那也只是因为在某些特定环境中,拥有改变制度之谈判力量的人为了达到其私人目的,而生成或演化出了一些具有社会效率的制度结果。行为人的主观模型、制度降低交易费用的有效性,以及制度的可改造性(malleable)程度及其对偏好和相对价格变化作出反应的能力,决定了这种特定环境。故此,接下来我们要探究的是:人类行为的基本决定因素、交易费用,以及制度的构成。

注 释

① 在近期有关美国自然资源产业产权形成问题的历史研究中,利贝卡普(Libecap,1989)在"收益—成本比率在有效率产权形成过程中是否具有决定性作用"问题上,也得出了相似的结论。

3

制度理论中的行为假定

一切社会科学的理论化，暗含地或明确地，都建立在人类行为概念的基础之上。有些研究进路（approaches）基于经济学理论中的期望效用假设（expected-utility assumption），或是这种行为假设在其他社会科学学科中的延伸，近似地，可以将它们称作理性选择理论（rational choice theory）。而另有一些进路则针对传统经济学方法提出了一些相当基础性的问题。尽管就我所知，只有极少数经济学家真正相信经济学的这种行为假设能准确地反映人类行为，但他们中的绝大多数的确相信：这种假设对于构建经济学的市场行为模型是有用处的，并且，对于政治学研究和其他社会科学研究来说，尽管其不如在经济学领域中那样有用，却仍不失为一种最好的方法。

而我相信，正是这些传统的行为假设，使经济学家未能把握住那些较为基础性的问题，社会科学要想继续发展，就必须对这些假设进行修正。行为人的动机比之现有理论所假定的要复杂得多（其偏好也不稳定得多)。在行为假设中更有争议性的(也更难于理解的),是其中所暗含的:行为人的认知系统能提供关于世界的真实模型来指导他们选择,或者至少,行为人接收到的信息将会使原本发散的模型趋于收敛。就我们所关注的大部分有趣的问题而言,这显然是错误的。个人做选择所依据的是源于主观、在个人间发散的模型,人们接收到的信息是这样的不完全,以至于在大部分情况下这些发散的主观模型完全没有显示出收敛的趋势。只有理解了这些对人类行为假设的修正,我们才有可能说明制度的实存与结构,也才能解释制度变迁的方向。在本章,我将首先考察期望效用理论,接着探讨动机问题以及环境的复杂性与行为人所拥有的主观模型之间的关系,最后,将运用这些观察来解释制度的实存。

I

那么,在一个无制度的(institution-free)或至少制度运作是无需成本的世界里,人们会有怎样的行为呢?让我先引述马克·马奇纳(Mark Machina)对期望效用理论的意义的一段说明,这是新古典经济学最基本的行为假设:

> 作为一种有关个人行为的理论,期望效用模型与标准的消费者理论有着许多相同的基本假定。两种理论都假定选择的客体——无论是商品组合还是奖券——都能被毫不含糊地、客观地描述出来。在可选集合(set of availabilities)相同(如,有同样的预算约束)的情况下,选择也将是相同的。两种理论又都假定:个人有能力进行必要的数学推导以决定实际可行的可选集合,比如,能对置于不同尺寸的容器中的商品进行数目上的相加,或是能计算复合事件或条件事件的概率。最后,在这两种理论中,我们都假定

> 偏好具有传递性(transition),这样,当一个人认为甲(一种商品组合或风险资产)比乙好,而在乙、丙之间又偏好乙时,那他或她在甲、丙之间必然是偏好甲的(Machina,1987,pp. 124—125)。

在过去的20年里,这一进路遭到了猛烈的攻击,但同时其也不乏强有力的辩护者。攻击主要来自于实验经济学方法和心理学家的研究,还有些来自于经验研究。他们都发现了与这一进路有关的重大经验性异常情况。[①]简单地,这可分为以下几类:违反传递性假设;框架效应(framing effects),即对同一个选择问题的不同表述方式有可能造成不同的选择结果;偏好反转(preference reversals),即人们对物品进行评估时所陈述的排列次序与人们直接进行选择时所表现出来的排列次序相矛盾;以及,在不确定性选择中主观概率的形成、控制和运用方面的一些问题。

这些异常情况大多得自于精心设计的实验,并且这些实验只针对有限的几个问题。它们并不能直接适用于此处的主题,即,行为假设对制度的形成、确切地说对制度实存所起的作用。这正是我要在本章稍后部分讨论的。但是,这些研究却为我们提供了一个基础,使我们能审慎地思考那些必须要进行检验的问题。

也许,对新古典行为假设的最好总结来自于西德尼·温特(Sidney Winter)的工作。他所谓的"对新古典之行为假设的经典辩护"由七个步骤所组成。它们是:

(1) 经济世界可以被合理地认为是处于均衡状态中的。

(2) 单个经济行为人重复地面对相同的选择情况或一系列十分相似的选择。

(3) 行为人有稳定的偏好,这样,就可依据稳定的标准来对个人的选择结果进行评估。

(4) 重复地遭遇,这使每个行为人都能识别并抓住任何有可能改进结果的机会,并且,对于厂商来说,唯有能做到这一点,才不至于在竞争中被淘汰。

（5）因此，当单个行为人无法最大化其偏好时，均衡就不会出现。

（6）由于世界近似于均衡状态，因而这起码也近似地展现了"行为人是追求个人最大化的"这一假设的情况。

（7）适应性过程的细节是复杂的，并可能因人或因环境而异。相反，与最优均衡相联系的规律却是相对简单的；于是，增进经济理解力的省事的方法是：从理论上去探讨这些规律，再将所得到的结果与其他一些观察进行比较。[②]

在此有必要强调一点：经济学家的行为假设并非意味着所有人的行为都与理性选择相一致。但是，他们却从根本上依赖于这样的假设：竞争力量能使那些按理性方式行事的（如前文所描述的）人幸存下来，而另一些不这样做的人将被打败；因而在一个演化的、竞争的环境（符合所有新古典经济学有关稀缺和竞争的基本假设）中，能被不断地观察到的行为一定是出自于那些按照这种标准行事的人。在我批驳这种观点及其在制度经济理论中的延伸之前，谨慎地提及它的成功之处是很重要的。在上述的条件能近似达到的情况下，新古典模型对于分析经济现象还是相当有效的。例如，在金融学研究中，由于金融市场通常具有不少上述特征，因而运用前述之简单假设就曾取得过巨大的成功。[③]

Ⅱ

要探讨理性选择进路在制度研究方面的缺失，我们必须深入分析人类行为的两个具体方面：（1）动机，（2）对环境的辨识（deciphering）。人类行为看起来远比蕴涵在经济学家的个人效用函数模型中的来得复杂。在许多情况下，人们不仅有财富最大化行为，还有利他主义（altruism）以及自我实施的行为，这些不同动机极大地改变了人们实际选择的结果。同样，我们发现，人们是通过某些先存的心智构念（preexisting mental constructs)来处理信息、辨识环境的。先存的心智建构帮助人们解读环境并解决所面对的问题。要理解这些问题,就必须将参与者的计算能力以及所要解决的问题的复杂程度同时都考虑到。让我们先从行为人的动机问题开始。

近年来,为了探询许多存在于动物和人类类似行为模式间的,有关于基因存活(genetic survival)的基本特征以及演化发展的对应事件(parallels),社会生物学家与经济学家的工作被结合到了一起。许多经济学家发现这一进路不仅是相宜的,还能在人类行为方面有许多新的发现。杰克·赫舒拉法(Jack Hirshleifer,1987)将生物演化模型与经济社会学中的模型作了如下比较:

> 演化模型都有某些特征。首先,它们研究的是群体(populations)。即便我们在说的似乎是个体,但只要其变迁过程是演化的,则仍可将其视为处于变化中的微观单位(micro-units)的群体。于是,在单个人体内一种疾病的演化过程,便是一群群细菌、抗体、细胞(等)之间相互关系的函数。同样,一个国家的经济演化就是一群群个人、贸易单位(等)之间相互关系变化的产物。演化模型代表了一种持久性(遗传)与变异的结合。它必须同时包含不变的与变动的要素,如果一个系统被认为是演化的,那么即使是其中的变动要素也必须是可遗传的(heritable)。在生物演化方面,研究重点是:从一代到下一代所发生的差异性存活以及有机体类型或特征的再造(reproduction)。这里,持久性是由于编码遗传指令(基因)的固定模式导致了孟德尔式(Mendelian)的遗传。而变异则源于一些力量,包括:内部遗传指令的突变(基因复制错误),有性繁殖中的基因重组,以及来自外部的自然选择压力。社会经济演化主要涉及的是社会组织的不同模式所表现出来的成长与存活的差异性。其主要遗传成分是社会惯性的重负(deadweight),而刻意的教化传统则支持了这种社会惯性。至于变异方面,则与突变(当我

们学习传统时发生了复制错误）相似。此外，自然选择也同样有效。最后，模仿和理性的思考构成了社会经济变异的额外的、非基因的来源（Hirshleifer，1987，p. 221）。

这种演化模型中的“效率”一词，并不一定具有经济学家赋予这个术语的那种好的意思，而却时常与那些通过损害其他群体而获取群体优势的行为联系在一起。不过同时要说明的是：该模型也可以将利他主义包含在内，道金斯（Dawkins）已经有力地证明了这一点。[4]这一进路甚至与声誉、信任以及另外那些表面上看起来像是利他主义的人类行为的形成方式相一致，而与在特定情况下被认为是最优生存特性（trait）的个人财富最大化原则不相一致。[5]

这样，我们就可以在个人期望效用模型的框架内，加入某些特定的利他主义成分，来建立一个关于复杂人类行为的更为精致的模型。但贝克尔（Becker，1981）在其家庭研究中却提出了另一种进路，他将利他主义视为另一种意义上的效用最大化行为，认为人们能从他人的幸福中获得效用。显然，这个问题要比家庭利他主义深得多。实验经济学领域的研究以及许多心理学家的工作都指出：搭便车（free-rider）、公平、正义等均会进入效用函数，且未必与上述之狭义的最大化假设完全吻合。[6]在议员的投票行为中，这些问题就反映出来了。众所周知，议员的投票行为无法在严格定义的委托—代理模型（principal/agent model）中得到解释。在这种模型中，代理人（议员）忠实地谋求着委托人（选民）的利益。而我们知道，代理人自身的效用函数——他或她本人认为世界该当如何——显然影响着结果。

从我们所掌握的有关意识形态（ideologies）、利他主义以及自我施加的行为标准等方面的证据来看，财富与这类价值之间的交换关系表现为一种斜率为负的函数（a negatively sloped function）。也就是说，当个人表达其自身价值观以及利益的价格较低时，这类价值就会成为影响选择的重要因素；而当个人表达其自身之意识形态、规范或偏好所要支付的价格十分高时，这些价值对人类行为的解释力就要小很多（Nelson and Silberberg，1987）。我还会再回来讨论这一观点，因为这对于我们理解制度及其影响决策的方式来说，实在是大有助益的。我想要指出的是：制度能从根本上改变个人的支付价格，这就使得思想、意识形态以及教条等时常在个人选择中扮演重要角色。

Ⅲ

理解人类行为的第二个关键要素是：对环境的辨识。这一问题在标准的经济学家的节目单（repertoire）上是很少或根本不会出现的。尽管卢卡斯（Lucas，1986）也承认：假使参与者不去学习或事实上不存在稳定的均衡与竞争（即温特所提出的那种含义），则理性预期模型（rational expectation model）的结果就无法达到，而正是因为这些条件，才使人们在选择时的取舍变得清楚明了。从表面上看，稳定的均衡以及有关备选方案知识的假设是很有吸引力的，因为我们的生活被例行公事所充斥，选择之事看起来也都是些既寻常、重复，又再清楚不过的，从而我们在一天中所做的90％的行动都根本无需太多思考。但实际上，正是那一系列嵌入其间的制度实存，才使我们可以这样不假思索地作出这样那样的选择。我们理所当然地行事，是因为交易结构的制度化降低了不确定性。而当我们一旦离开了人际关系化的、重复行动的选择环境，转而面对非人际关系化的、不重复交易的选择时，结果上的不确定性就会增加。我们面对的问题越是复杂、独特，结果就越是不确定。我们尚无能够有效预测结果的理论，并且在这些情况下我们所接收到的信息，通常也不能被用来更新模型以改善预测结果。赫伯特·西蒙（Herbert Simon）针对这一问题作了如下的精彩阐述：

如果我们承认价值是给定的、一致的，如果我们假定我们对这

> 个世界的客观描述是真实可靠的，再加上，如果我们假设决策者的计算能力是无限的，那么就可得出如下两个重要结论：首先，我们不需要区分真实世界与决策者对其的感知，因为他或她感知到的世界是真实可靠的；第二，仅凭我们对于真实世界的知识，而无需了解决策者的感知或其计算模式，我们就可以完全地预测到理性决策者将要做出的选择（当然，我们尚需要知道他或她的效用函数）。
>
> 但如果，从另一角度看，我们接受这样的观点，即决策者无论是知识还是计算能力都十分有限，那么，我们就必须要在真实世界与行为人对其的感知、推理之间进行甄别。也就是说，我们必须构建一个有关选择过程的理论（并进行实证检验）。我们的理论不仅要涵盖推理的过程，还必须涵盖那种形成行为人有关决策问题的主观具象（subjective representation）的过程——他或她的框架（frame）。
>
> 新古典经济学中的理性人总能在给定的效用函数下作出客观的、真实的（substantively）、最好的选择。而认知心理学（cognitive psychology）中的理性人，则是在可得的知识与计算手段的条件下，用程序合理的方式作出他或她的选择（Simon，1986，pp. 210—211）。

依我看来，西蒙的论述切中了这个问题——主观的、处理过程不完全的信息为何能在决策中起到重要作用——的肯綮。它同时解释了：建立在对现实的主观感知基础之上的意识形态是决定人类选择的重要因素。[7]他在讨论中引入了我们所拥有的信息的复杂性与不完全性，以及我们为辨识这些信息而付出的探索与努力。他的理论强调，面对这样的复杂性，有必要建立起有关人类互动的常规（regularized）模式，并指出这些被我们称之为制度的规律性互动，也许很不充分或者远非任何意义上的最优。简言之，以这样的视角来研究人类是如何行动的，才是与有关制度形成的观点相一致的。有关制度的形成问题，本章后面部分还将会讨论。

在《可预期行为的诸种起源》一文中，罗纳德·海纳（Ronald Heiner，1983）道出了许多相同的观点。他认为：存在于代理人的辨识问题的能力与选择最佳方案的困难之间的差距——他称为CD差距（CD gap）——是了解人类行为方式的关键。其论著建立在一个简单的理念上，即：CD差距越大，则代理人越有可能采用常规性的且十分局限的模式来应对与这种差距相联系的复杂性与不确定性。海纳指出，事实上，这种不确定性不仅产生了可预期行为，还是制度的根本来源。海纳文章的独到之处在于：它试图将不确定性以及行为与制度的创建联系在一起。但他的框架是演化论的，故而无法将对公正的主观感知引入到个人的行为决策中去。

Ⅳ

让我们回到经典式的辩护那里，并回应温特所提到的七点，以此来对前文的讨论作一总结。

（1）对某些目的而言，均衡概念是一个有价值的分析工具，然而就我们所关注的大部分问题来说，均衡不只是一个。多重均衡之所以产生，原因是“存在着一个理论连续体（continuum），代理人持有之并据此行事，其所遭遇的事件不会使他们改变原有理论”（Hahn，1987，p. 324）。

（2）尽管单个行为人时常面对重复的情形，并且正如上面所提到的，他们在此情形下能够理性地行动，但同时，他们也常常面对独特的、不重复的选择，而在这类选择中，信息是不完全的，结果是不确定的。

（3）尽管贝克尔和斯蒂格勒（Becker and Stigler，1977）极为成功地运用相对价格的变化来解释偏好的许多显著性变化，但偏好稳定性问题显然没有这么简单。这不仅是因为在心理学研究的分解层次(disaggregated level)上出现了许多例外情况,还因为历史证据明确地表明偏好是随时间的变化而变化的。据我所知,还没有什么办法可以解释19世纪奴隶制的消亡,除非将“一个人拥有另一个人的合法性”观念的转变考虑在内。

(4) 行为人当然希望能够改善结果,但信息反馈系统可能非常差,从而使行为人无法识别出哪个才是更好的备选方案。

(5) 竞争也许是无言的,信号可能是混乱的,从而调整可能是迟缓的或被误导的,这样,经典的演化论结果可能在相当长时间里都无法获得。

(6) 世界历史进程中的大量事实,绝非简单的理性非合作行为所能涵盖的。

(7) 经济学家的行为假设对于解决某些特定问题是有用的。但就社会科学家所面对的许多问题而言,它们则力不能逮,而且,它们还成为了理解制度的实存、形成及演化等问题的根本性障碍。

V

如果能用一个精确而简洁的行为模型来总结本章,那就再好不过了。这一模型不仅要能解释为何制度是人类处理信息的方法的必要延伸,还应该能预期那些决定选择的各种复杂而又相互搀杂的动机。在这方面,我们已经取得了一些进展;事实上,已经取得的成果将足以解释制度的存在,也能(粗略地)解释那些有助于型塑制度的行为人的动机,并且还能为将利他主义以及其他一些非财富最大化价值引入选择集合提供一些分析手段。

制度是为了降低人们互动中的不确定性而存在的。不确定性不仅来源于所要解决的问题的复杂性,而且还来源于个人所拥有的解决问题的“软件”(这里套用一个计算机名词)。上文的论述丝毫没有意指制度就一定是有效率的。

环境的复杂性问题将是下一章的主题。在此,能够较有把握的是:不确定性源于人类互动过程中个人所拥有的有关他人行为的信息的不完全性。个人计算能力上的局限则是由处理、组织及利用信息的心智(mind)能力决定的。人的心智能力与辨识环境时的不确定性结合在一起,便演化出了旨在简化处理过程的规则和程序,由此而形成的制度框架通过结构化(structuring)人们的互动,限制了行为人的选择集合。

毫无疑问,处理信息的心智能力是有限的,但行为人的动机又是怎样进入到决策过程中的呢?在一个严格的社会生物学模型中,追求最大化存活显然是行为人的一个潜在动机。这种动机有时——但并不总是——与财富最大化行为是一致的。既然行为人的处理能力有限,那么用环境的复杂性就可以解释人们对现实世界的主观感知。这种主观感知影响着人类对制度环境的理解,甚至影响着人们对制度环境是否公正的感觉。拿一些经典的例子来看,人们不难理解为什么一个产业工人会感觉到他或她受到了资产阶级的剥削,或者19世纪后期的美国农民会认为铁路应对他们所受的苦难负责。在这两个例子中,都有现成的意识形态架构来解释和说明他们的苦难。然而,那些依据主观感知来行动的人们却能克服搭便车问题,这一事实相对而言似乎更难解释。

假使那些更广泛的人类行动——如匿名无偿献血、完全信守宗教戒律、甚或为了抽象的目标而牺牲个人生命——只是孤立事件,那就无需对其加以考虑(就如同许多新古典经济学家所做的那样,将其搁置一边)。但很明显,它们不是孤立事件,并且如果我们想要进一步增进对人类行为的理解,就必须将它们考虑在内。尽管我们对动机的理解还很不够,但是,通过明确考察制度通过何种渠道改变基于个人信念所支付的价格从而非财富最大化动机在某种程度上影响个人选择,我们就仍然能够取得重要的进展。在后面的章节里,我们将研究这些问题。

只是，在此之前，我们还必须详细探讨这样一个问题：环境何以会如此复杂？

注 释

① 大量的相关文献可在（由 Hogarth 和 Reder 主编）的《经济理论的行为基础》（The Behavioral Foundations of Economic Theory）这本学术会议论文集中找到。该次会议于 1985 年 10 月在芝加哥大学召开。在会议上，众多心理学家、经济学家，以及其他一些社会科学学科的成员会聚一堂，深入地探讨了经济学家使用行为分析方法时所牵涉到的复杂性和问题。此外，还可参见 Mark Machina 发表在《经济展望杂志》（*Journal of Economic Perspectives*）1987 年第 1 期上的综述，Frank hahn（1987）为苏格兰经济学会（Scottish Economic Society）所做的“1987 年年度讲座”，以及 Shaun Hargreaves-Heap（1989）的《经济学中的理性》（*Rationality in Economics*）。

② Winter in Hogarth and Reder（1986），p. S—429.

③ Charles Plott 和 Robert Lucas 的文章（Hogarth and Reder，1986）为特定条件下的新古典模型假设做了深刻的辩护。

④ 参见：Dawkins，*The Selfish Gene*（1976）。

⑤ 可参见：R. Frank，“If Homo Economicus Could Choose His Own Utility Function Would He Want One with a Conscience?”（1987）。

⑥ 参见：Kahneman，Knetsch，Thaler，“Fairness and the Assumptions of Economics”（1986）；Richard Herrnstein，“A Behavioral Alternative to Utility Maximization”（1988）；Hoffman and Spitzer，“Entitlements，Rights and Fairness：Some Experimental Results”（1985）。

⑦ 这里的意识形态是指所有人都具备的、用于解释周围世界的主观感知（模型或理论）。无论是在人类联系的微观层面，还是在对过去和未来作出整体解释的组织化的意识形态——如宗教——这个宏观层面，个人构建的理论必然会受到其有关世界应当如何组织这样一些规范观念的影响。

4

关于交换的交易费用理论

我的制度理论是建立在一个有关人类行为的理论与一个交易费用的理论相结合的基础之上的。当我们将这二者结合在一起时，我们就能理解诸种制度何以会存在，以及它们在社会运行中发挥了何种作用。如果再加上生产理论，我们就可以来分析制度在经济体系的绩效中所扮演的角色了。

信息的高昂成本是交易费用的关键。交易费用包括：衡量交换物之价值的成本、保护权利的成本，以及监管(policing)与实施契约的成本。这些衡量与实施成本是社会、政治与经济制度的来源。本章将集中讨论经济交换；在第 6 章，将运用相同的基石(building blocks)来建立一个政治交换模型。

承认经济交换有成本，使得交易费用的研究进路有别于了经济学家从亚当·斯密那里传承下来的传统理论。200 多年来，通过提高专业化程度和劳动分工程度而带来的交易收益，成为了经济理论的基石。通过扩大市场规模可以实现专业化，并且，伴随着世界经济的成长以及劳动分工的愈益专业化，与经济体系的绩效相关的交换数量也得到了扩展。然而，在众多经济学家将这一进路发展成为考究的经济学理论的同时，却丝毫没有顾及这种交换过程所具有的成本特性。考虑有交易费用的交换过程，势必成为对经济理论的一个重要修正，并且，其对于经济绩效来说，也具有十分不同的含意。[①]

瓦理斯和诺斯（Wallis and North，1986）通过衡量美国市场的交易费用（如与银行、保险、金融、批发、零售有关的费用，或者，从职业角度，与律师、会计师等有关的费用）规模，发现超过45%的国民收入（national income）被用在了交易上，而在一个世纪以前，这一比例约为25%。由此可见，用于交易的经济资源已具相当规模并仍在继续扩大。由于交易费用是生产成本的一部分，因此有必要将传统的生产关系重述如下：生产的总成本包括土地、劳动力以及资本的投入，这些投入有些与物品的物理转形（尺寸，重量，颜色，地点，化学成分，等等）有关，有些则与交易有关，即用于界定、保护以及实施物品的产权（使用的权利，受益的权利，排他的权利，以及交换的权利）的部分。

一旦我们认识到生产成本是转形成本与交易费用的加总，我们就将需要一个新的微观经济理论分析框架。[②]但是，在本书中，我们所关注的乃是一个有关制度的理论，尽管其重点不可避免地会与微观经济理论中的一些基础性问题重合，但系统地探讨这后一种理论，势必会将我们带往别的方向。事实上，我们的首要问题——为什么交易需要成本——无论是对于微观理论的重建，还是对于制度理论来说，都是共同的。

I

第2章中已经提到，罗纳德·科斯在《社会成本问题》（Coase，1960）中清楚地阐述了：只有在不存在交易费用的情况下，新古典范式所暗含的配置结果才有可能达到；而当交易费用为正时，产权结构会改变资源配置。但不仅是科斯，还包括其他许多有关交易费用的后续研究，都未试图清楚地界定：到底是交易的何种特性，才使得交易费用如此之高？然而，这一问题却是本书研究的核心。我想先从对衡量成本（measurement costs）的探讨开始[假定实施成本（enforcement costs）不变]，然后在第Ⅲ节中，我们将考察实施成本。

我们从一种物品或劳务的各种不同属性（attributes）中获得效用，或者，就一个代理人的表现而言，我们从构成他的表现（performance）的各种不同活动中获得效用。从常识角度可以这么理解：当我消费橙汁时，我从所喝的橙汁的数量、维生素 C 的含量以及其口味中获得效用，尽管，这种交换本身只是花 2 美元购买 14 个橙子这么简单的事；类似地，当我购买一辆汽车时，我获得一种特定的颜色、加速器、款式、内部设计、伸腿空间、汽油里程——所有这些有价值的属性，尽管，它只不过是我买来的一辆汽车；当我购买医生的服务时，他们的医术、医德（bedside manner）以及候诊时间，都是我购买的一部分；在我担任经济系主任而要聘任助理教授时，我所聘请的不仅是他们教学与研究的数量与质量（该如何衡量暂且不论），而且还包括他们在其他方面的表现：他们是否能有准备且准时地出现在课堂上，能否为同事提供外部收益，能否在各种系内事务上合作，对学生不滥用职权，或者，是否会用系里的经费给他在中国香港的朋友打电话。对于交换双方而言，一项交换的价值乃是各种不同属性的价值在商品或劳务内的加总。衡量这些属性的价值需要耗费资源，而对被转让之权利的界定与衡量还需要耗费额外的资源。

通过交换来实现的转让是有成本的。这种成本来源于交换双方都试图确认这些资产中有价值的属性到底有哪些——尽管由于使人望而却步的衡量成本的存在，这些属性事实上被发掘得十分有限。这样，作为橙子的购买者，想要购买到的是一定数量的果汁、一定数量的维生素 C 以及特定的橙子的风味，虽然我买的不过只是 14 个橙子，花费 2 美元。同样地，当我以一个潜在购买者的身份去看一辆车时，我将试图辨别出这辆车是否具有对我来说重要的那些属性。类似的情况也发生在购买医生的服务上，我总试图能获得一些有关医生的医术、医德、及候诊时间的信息。

从上面描述的这几个特例中，我们可以得出如下结论：商品、服务，以及代理人的表现，均具有多种属性，且属性层次的高低随样本或代理人的不同而不同。高昂的成本使得对这些层次的衡量不可能是全面的或完全精确的。辨明每一交换单位的各种属性之层次高低所需的信息成本，是这种意义上的交易费用的根源。即便是所有交换者都有相同的目标函数（objective function）（例如，为雇佣厂商的财富最大化而齐心努力），获取必要信息的交易费用仍会存在。这里的必要信息是指：各个交换单位的属性层次，买方（卖方）的地点等等。然而事实上，在参与者之间还存在着信息不对称的情况，这种非对称性与个人潜在的行为函数结合在一起，无论是对经济理论还是制度研究来说，都有极其深远的意义。

先来谈非对称性问题。在上述例子中，橙子的卖方比买方更了解橙子的有价值的特质；旧车交易商就车子的有价值的特质而言，也比买方了解得多（Akerlof，1970）；医生对自身服务质量及医术的了解总比病人多；类似地，即将被聘的助理教授比之系主任，更知道自己的各种工作习惯；再举个其他例子，向保险公司购买人寿保险的人，比之保险公司，总是更了解他或她自己的健康状况。

不仅是交易中的一方比之另一方拥有更多有关有价值的特质的信息，他或她还可能通过隐藏这些信息而获得收益。根据严格的财富最大化行为假设，交换的一方将会欺骗、偷窃或撒谎，只要这些行动的收益能超出其他机会带给他的收益。事实上，这一假定是阿克劳夫著名的有关柠檬市场的论文（Akerlof，1970）的基础，也是在人寿保险购买中出现的逆向选择（adverse selection）行为所导致的两难问题的基础，还是道德风险（moral hazard）的基础（Holmstrom，1979）。甚至，它还是在过去十几年里大量出现的、被称作“新产业组织理论”(New Industrial Organization)的许多文献的基础。在某些时候,交换方隐藏一些特定信息是对己有利的,而在另一些时候,透露信息也可能是有利的。有了上面这些认识,我们就有可能得出一些有关交换的交易费用模型在衡量成本方面的一般性的结论。

Ⅱ

首先来考虑标准的新古典瓦尔拉斯模型(neoclassical Walrasian model)。在这个一般均衡模型中,商品是同质的,市场集中在一个地点,交换是即时发生的,同时,个人对于所交换的商品具有完全的信息,交换双方对交易条件也都心知肚明。这样,只要交付适量现金就可完成交换,其他任何试图影响交换的努力都是不必要的。结果,价格就成为了一种能按最高价值使用资源的配置装置。

现在,在这个包含着个人最大化行为、专业化带来收益以及劳动分工产生交换等思想的瓦尔拉斯模型中,加入信息成本的因素。如前所述,这种信息成本是指对包含在物品、劳务以及代理人的不同表现中的各种有价值的特质进行度量的成本。交换的净收益等于:总收益——即存在于新古典理论与国际贸易模型中的标准收益——减去衡量成本和契约的监管成本,还要再减去因为监督的不完善而带来的损失。从常识角度,也不难看出我们在度量、实施以及契约的监管方面要投入多少的资源与努力。保证书、检验证明、商标、用在分类与评级上的资源、时间与动作研究(time and motion studies)、代理人的连带责任、仲裁、调停,以及整个司法程序,这都反映出了度量与实施的无处不在。

要完全地衡量这些有价值的特质,其代价是高昂的。因而,通过投入资源以获取信息而获得财富的机会,是始终存在的。例如,出售水果或蔬菜这类东西的人也许觉得为他们的商品做精确的分类与评级并不值得。但购买者却会发现：花些时间去挑挑拣拣很值得一做。在这个例子中，卖方向公共领域提供了不同的商品属性，买方若能投入时间和精力去甄别，就可以部分地获取这种收益。这一点对于那些购买旧车以及医生的医疗服务的人来说，也同样适用。正是由于特性上的千差万别，以及衡量物品、服务以及代理人表现的诸种属性的成本的高昂，才使得不同资产或资源的理想所有权形式也各不相同。在有些情况下，理想的形式是：权利分属于各方。例如，耐用品的买方可以拥有一些权利，而另一些权利则以质量鉴定书的形式保留在制造商那里。

一般而言，一种资产的收入流（income flow）越是容易受到他人行动的影响，并且他人还无须承担这种行动的全部成本，那么这种资产的价值就越低。因此，一种资产价值的最大化就与这样一种所有权结构有关：即，那些能影响特定属性变化的当事方，事实上就是这些属性的剩余索取者（residual claimants）。这样，他们在为自身行动负责的同时，也拥有了一种最大化其潜在交换收益的激励。如果由某种资产生发而来的服务流（flow of services）容易被度量，那么这种资产的权利通常也能较容易地被确认。因为，为特定规格的服务设立相应的价格，通常是不难的。由此，当服务流是清楚而稳定的，那么权利的确认也就容易了。当服务流可变但可预测时，权利仍然容易得到确认。当一种资产的收入流容易受到交换各方的影响时，指定所有权就比较困难了。而当收入流可变且不具备完全的可预测性时，确认该收入流是否是在特定情况下应该具有的那种形式的成本就很昂贵。在此情况下，交换双方都将为获取这种可竞争的收入流的一部分而努力。

Ⅲ

至此，我们的分析重点都在衡量方面。但衡量成本是与实施成本一起决定交易费用的。回到前述的瓦尔拉斯模型，我们曾假定契约的实施无需成本。的确，只要我们还是停留在那种同质商品的即时交易的假想世界中，监管与实施问题就都是无足轻重的。然而，当我们在模型中加入信息获取成本以及衡量成本之后，这些问题就变得重要起来。这是因为，我们不了解商品或服务的诸种属性，也不能完全了解代理人表现的各种特点，这样我们就不得不将大量资源用在对这些属性进行衡量以及对代理人的监督上，而这些正是与实施有关的一些问题。

问题之一是对代理人的监管。一个最极端的例子是奴隶主与奴隶之间的关系。事实上，他们之间存在着一种隐性契约（implicit contract）：为了得到奴隶最大限度的付出，奴隶主必须动用资源来监督和测定（metering）每个奴隶的产出，进而十分严格地针对其表现给予奖惩。由于这种衡量及监管的边际成本是递增的，因此奴隶主一般不会实施完全的监管，而会选择这样的监管水平：在此水平上，边际成本等于因监管而增加的边际收益。如此一来，奴隶也能从其自身的劳动中获得一定的产权。也就是说，奴隶主给予奴隶一些权利，来交换那些对奴隶主来说更有价值的服务，从而提高他们拥有的资产的价值。因此，奴隶也变成了所有者。事实上，只有存在着这样一种所有权，才可能使奴隶通过赎买来重获自由。这种情况在古代是常见的，甚至在南北战争前的美国南部地区也能偶尔见到。[3]

当然，奴隶的例子极其特殊，但代理人问题在科层组织（hierarchical organizations）中却无处不在。代理人的表现由许多不同属性构成，对这些属性进行监督与测定，意味着——与标准的新古典无摩擦模型所认为的“工人按照他们的边际产量获得报酬”的观点截然不同——工人被支付的是这一数额减去监督与监管所用资源的成本之后的差额。[4]在上面的说明中，在提到“一个奴隶主拥有一个奴隶”这一观念时，我已经隐含地涉及了产权问题；在所有与委托—代理以及监督问题有关的讨论中，我们总假定委托人有训诫代理人从而实施合约的权力。同样，代理人也能监督委托人并实施他或她在合约中的权利。

实施可能源于第二方的报复。也可能源自内在的、强制的行为准则,或者是社会制裁,又或者是有强制力的第三方(国家)。

然而,实施不应被看作是一件理所当然的事。它是(并且一直是)提高劳动的专业化与分工程度的重要障碍。当另一方信守合约对其自身有利时,实施就不存在问题。但是,在没有制度性约束的情况下,自利行为将排斥复杂的交换,这是因为存在着这样一种不确定性:对方不一定理解遵守合约对他或她也是有利的,包含了风险溢价(risk premium)因素的交易费用就可以反映出这样的不确定性。风险溢价的大小取决于另一方采取背信行为并给第一方带来成本的可能性大小。从历史上看,风险溢价的存在极大地排斥了复杂交换,也因而限制了经济成长的机会。

Ⅳ

现在,我们可以来探讨第 3 章中提出的行为假设与本章前几节探讨的交易的诸种特征以及社会制度结构之间的联系了。

产权是个人支配其自身劳动及其所拥有之物品与劳务的权利。这种支配权是法律规则、组织形式、实施机制以及行为规范的函数。也就是说,是制度框架的函数。不论是处于何种产权结构之下,交易费用总是正值,因而对权利的界定与实施总是不完全的;有些有价值的属性存在于公共领域,奖励那些愿意花费资源去获取它们的人。在历史上的不同时期,交易费用变动很大,并且,在当今各个不同的经济体中,交易费用也是完全不同的,因此,对权利的正式保护与个人试图获取权利或投入资源以进行自我权利保护而构成的混合模式,也就差异极大。我们只能通过比较 20 世纪 80 年代的贝鲁特与现代美国小城镇社群的产权状况,来达到以一斑窥全豹的效果。在前者,大部分有价值的权利都存在于公共领域中,等待着那些为了获得成功而不惜代价的人。而在后者,法律结构界定或强制实施了相当比例的权利,那些存在于公共领域中的有价值的权利通常也是依据传统的行为规范来分配的。二者之间的差异，是各自制度结构的函数。

制度为交换提供结构，它（与所用技术一起）决定了交易费用和转形成本。制度能在多大程度上解决协调与生产问题，取决于参与者的动机（其效用函数）、环境的复杂程度，以及参与者辨识与规范环境（衡量与实施）的能力。

完成经济交换所必须的制度的复杂程度各不相同，有的只解决简单的交换问题，有的要解决跨越时间和空间、涉及众人的交换问题。经济交换的复杂程度是契约层次的函数，而契约则是在拥有不同专业化程度的经济体系中完成交换所必需的。当交换的成本以及不确定性较高时，非专业化是一种保险的方式。而专业化程度越高、有价值的特质的数量越多、可变性越强，就越是需要借助可靠的制度，来支撑个人从事复杂的契约行为，并使条款执行上的不确定性降到最低。现代经济体系中的交换包含有许多可变的属性，并且交换延续的时间也较长，故非得依赖于制度的可靠性不可。制度的可靠性在西方经济体系中也是逐渐产生的。合作的演化——即契约与交换由简单形式向作为当代成功经济体系特征的复杂形式的转化——不是一蹴而就的。

虽然制度为经济交换提供结构的方式多种多样，但我们仍可以将它们归为几个一般的类型，这与交换的交易费用模型是一致的。在经济史上出现过的大部分交换，都是与小规模生产以及地方性交易相联系的人际关系化的交换。重复交易、文化同质（即有共同的价值观），以及缺少第三方实施（事实上也不太需要），是这种交换的典型条件。在这些条件下，交易费用尽管很低，但由于专业化与劳动分工尚未发育完全，因而转形成本很高。在这种交换中，经济体系和贸易伙伴圈子的规模都很小。

当交换的规模与范围扩大后，交换双方都将努力使交换客户化（clientize）或人际关系化。但交换的种类与次数越多，就越是需要订立更为复杂的合约，从而客户化与人际关系化就越不容易做到。由此，交换的第二种一般形式就演化出来了，即：非人际关系化交换(impersonal exchange)。在这种形式的交换中，各方主要受到家族纽带(kinship ties)、契约义务、交换抵押，以及商人行为准则的约束。为了约束参与者，这种交换常常被置于一种精心设计的仪式或宗教戒律的背景中。早期的长距离、跨文化交易，以及欧洲中世纪的集市，无一不是建立在这种制度建构基础之上的。这种交换扩大了市场，实现了由更复杂的生产与交换带来的收益，而且还冲破了小型地方性实体的边界。在现代欧洲早期，这种制度还使国家在保护商人方面的作用得到增强，并且，当由这种财政活动所带来的收入越来越多时，国家开始引入商人准则。然而，国家在此环境中所起到的作用至多也只是好坏参半的。因为一方面，国家起到了产权的保护者与实施者的作用，但另一方面，国家又常常带来不安定与高额的交易费用。

交换的第三种形式是有第三方实施的非人际关系化交换。它是当代成功经济体的重要支撑，而在这些经济体中，包含着现代经济成长所不可或缺的复杂的契约。第三方实施远非理想、完美，因而交换各方仍然要动用大量的资源来发展与客户的关系。但其他方法，如交换方的自我实施，以及信任等，也都不可能完全奏效。这并非因为意识形态或规范不重要，它们当然重要，况且人们在传播这些行为准则方面也花费了大量的资源。这只是因为，投机、欺诈，以及规避责任等的回报在复杂社会中也同步增长了。正因为这样，具有强制力的第三方才是不可或缺的。政治上的无政府主义与现代高收入国家的生产能力不可能同时出现在一个国家里。事实上，创建一系列规则来使各种非正式约束能发挥作用，是建立有效的第三方实施的最佳途径。然而，该如何通过有效的司法系统(不论它是多么的不完美)来形成有效率的第三方实施呢？规则终究不能被完全地理解，这也成为制度演化研究中的一个难题。

由上面的阐述，我们可以清楚地看到：要建立一个制度模型，我们就必须深入地探讨非正式约束、正式规则以及实施机制的特征及其演化方式。之后,我们才可以将它们放在一起,来分析政治－经济秩序的整体制度构成。

注 释

① 交易费用研究进路只是指在承认交易费用的重要性这一点上有一致的看法,而远非在指其他各个层面上都统一。本书中的进路最适合被称为"华盛顿大学派"(University of Washington approach)。其最早的创建者是张五常(Steven Cheung,1974,1983),并经由华盛顿大学的一批学者提升、修改和发展。其中有名的学者包括巴泽尔(Yoram Barzel,1982,1989)、基思·雷福勒(Keith Leffler,with Klein,1981),桥本昌典(Masanori Hashimoto,1979),以及诺思(Douglass North,1981,1984)。尚有另一些进路——以奥列弗·威廉姆森(Oliver Williamson)为著名代表——将与本书的观点形成对照。

② 有关这一理论的入门书籍,可参见 Barzel(1989)。

③ 对此观点的详细阐述,可参见 Barzel(1977)。

④ Jensen 和 Meckling 在一篇著名的论文(Jensen and Meckling,1976)中,详细阐述了与监督、监管以及代理人规避责任等有关的代理成本问题。

5

非正式约束

在一切社会，从最原始的直至最先进的，人们无不在自己身上施加种种约束，以此来为自己与他人的联系提供结构。在信息与计算能力有限的情况下，比之无制度的世界，约束降低了人类互动的成本。然而，描述与准确勾画那些由社会设计的正式规则，要比描述与准确勾画人类曾用之以规制人类互动的那些非正式的行事方式要容易得多。尽管，(绝大多数)非正式约束并不能被详述，且对其显著性进行无争议的检验也是特别困难的事，但它们却是重要的。

在当代西方世界，我们认为：是正式的法律与产权为生活和经济提供了秩序。然而正式规则，即便是在那些最发达的经济中，也只是型塑选择的约束的很小一部分(尽管非常重要)。只要略加思索，我们就会发现非正式约束的普遍存在。在我们与他人的日常互动中，不论是在家庭内部，还是在外部的社会交往中，还是在事业活动中，支配结构的绝大部分是由行事准则(codes of conduct)、行为规范(norms of behavior)以及惯例(conventions)来界定的。正式规则虽然是非正式约束的基础,但在日常互动中,它们却极少是形成选择的明确而直接的来源。

非正式约束本身就是重要的(而并非只是简单地作为正式规则的附庸),关于这一点,可以从以下的观察中得到证实。同样的正式规则和(或)宪章,加诸不同的社会,往往得到不同的结果。不连续的制度变迁,如革命、武装入侵或征服(subjugation)等,自然也能产生新的结果。但最令人震惊的(尽管很少被注意到,尤其是在那些革命的宣传中)莫过于:在规则完全改变的情况下,原有社会中的许多东西还是能够存续下来。日本文化虽经二战后的美军占领却依然存活;美国独立革命后的社会依然保留了许多殖民时期的特征;犹太人、库尔德人,以及其他无数族群,都在世代延续,尽管他们的正式身份经历了无数次的变换。甚至俄国革命——这或许是我们所知道的最彻底的一次社会正式转型——也不能被完全理解,如果我们不去探究其中许多非正式约束的存活与延续的话。

非正式约束从何而来?它们来自于社会传递的信息,并且是我们所谓的文化传承的一部分。心智处理信息的方式依赖于"大脑的学习能力,而这种能力通过一种或多种精心构造的自然语言程式来将感性的、态度的、道德的(行为的)以及事实的信息转换为能被接受的符号"(Johansson,1988,p. 176)。文化则可被界定为"由教育与模仿而代代相传,并能影响行为的那些知识、价值及其他因素"(Boyd and Richerson,1985,p. 2)。文化提供了一个以语言为基础的概念框架,来对由感官传递至大脑的信息进行编码和演绎。

这里所表述的观点基本上是第3章中观点的延伸:即,信息处理比之期望效用模型,对理解一个复杂的行为模式来说更为关键。不过,那一章的重点是:由于信息是不完全的,因而需要用制度来为人类的相互关系提供结构。而本章的重点则是:文化渗透(cultural filter)是怎样带来连续性的,以至于以往那些解决交换问题的非正式方式被带到了现在,并且,这些非正式约束还成为了长期社会变迁的连续性的重要来源。

I

先来考察不存在正式规则时的人类互动。在没有国家的社会里，秩序是怎样维持的呢？人类学文献是丰富的，尽管其中的许多发现尚存在争议，但这些文献不仅对历史研究以及分析原始社会的秩序十分重要，其中的含意对于用现代眼光来理解非正式约束也具有重要意义。以埃文斯—普里察德(Evans-Pritchard's)对努尔族(Nuer)的经典研究为基础，罗伯特·贝兹(Robert Bates，1987)将这类约束问题表述如下：

> 让埃文斯—普里察德颇感困惑的是：尽管存在着偷窃与无序(disorder)的潜在危险，努尔人事实上却生活在一种相对和谐的环境中。即便是发生掠夺牛群的情况，努尔人通常也只是掠夺别的部落的牛群，在部落内部掠夺的情况比较少见。不知为何，努尔人似乎避免了那种因追逐个人私利而带来的潜在的有害影响。甚至是，在缺乏那些在西方社会十分普遍的正式制度——如专门用来维持和平和预防暴力的法庭、警察等——的情况下，他们也能做到这一点(Bates，1987，p. 8)。

贝兹接着说明，是部落内部的赔偿和世代结怨(feud)的威胁这两个阻止效应(deterring effects)，起到了维持秩序的作用。他用博弈论的术语解释了这一合作结果。即，一种单次囚徒困境的情况——参与者采取对抗的方案，其结果是每个家庭的福利都下降了——被避免了，取而代之的是一个重复博弈，当世代结怨的威胁存在时，维持秩序并且不掠夺其他家庭的牛群，对各方都是有利的。这里尤为重要的一点是，往往是其家庭的内部成员来阻止他们去掠夺，因为世代结怨的情况一旦出现，便会祸及这个家庭中的所有成员。

由人类学家贡献的大量有关原始社会的文献清楚地表明，部落社会的交换也并不单纯。在没有国家和正式规则的情况下，稠密的社会网络使得非正式结构能大体稳定地发展。有关于这一论点，我相信没有人比伊丽莎白·科尔森（Elizabeth Colson，1974）说得更好了：

> 不论我们将它们称作什么：习俗、法律、习惯（usages），还是规范的规则（normative rules），这似乎并不重要。重要的是，像汤加（Tonga）这样的社群（communities），就不允许其成员自行其道，或者去探索其他行为的各种可能路径。他们凭借一套规则或标准来运行，这些规则或标准界定了在各种不同情况下的适宜行为。总的说来，这些规则的运行是为了避免利益冲突，而其方法则是：界定个人对其他特定成员的合理期望。其良性效应是：要求受到了限制，并且可以让公众来评判其行为表现……
>
> 然而在另一个层面上，他们又将冲突看成是社会生活中的寻常事，因为对于生活在邻近地带的人们来说，他们使用的是相同的空间，希望从同一批人那里得到支持与关注。规则——尽管在某些时候会带来冲突——减少了冲突的机会，因为它们用明确的界定来代替普遍性的权利和义务，从而减少了含混不清的事物的数量。它使人们有可能利用一系列被视为合法的优先权来给生活以秩序……在汤加社群中的经历迫使我了解到，不能想送礼就送礼，因为这对于所有那些没有得到礼物的人来说，是一种侮辱。规则不能解决所有问题，它们只是简化了生活。
>
> 规则还为组织活动提供了框架。若要在一个社群内形成社会控制系统，则社会制裁使用上的一些标准和手段就是规则的必要补充。在像汤加这样的社会里，旁观者根据每个特定角色的行事标准，来对个人作出总体评价。这反过来也使他们能预期其未来

> 的行为。评判是一个不断延续的过程，通过这个过程，人们最终能达成一致的意见。(Colson，1974，pp. 51—53)

通过前面对科尔森以及其他人类学家工作的回顾，有一些含意变得清楚了。他们所描述的那些社会中的秩序无不是从一个密集的社会网络中生发出来的。在这个社会网络中，人们彼此亲密了解，由于暴力威胁会波及到其他社会成员，因而成为了维持秩序的持续的力量。在这种环境中，离经叛道的行为是无法容忍的，因为它从根本上威胁着部落的稳定与保险的特性。

理查德·波斯纳(Richard Posner)有关原始社会的模型(1980)解释了这类社会的许多制度特征，这与我要在这里阐释的模型是类似的(尽管我的模型完全没有意含社会财富或效率的最大化，而在波斯纳那里，这种含意是很清楚的)。在波斯纳的模型中，高信息成本、有效率政府的缺乏、有限的商品与交易、食物保存技术的局限，以及微薄的创新收益，所有这些，导致了一系列共同特征：

> 虚弱的政府，以家庭为基础来划定权利与责任的归属，送礼是交换的基本方式，严格的伤害赔偿制度，强调慷慨与荣誉为高尚的伦理规范，连带责任——社会组织的这些(以及其他一些)特征在众多原始与古老社会中如此频繁、重复地出现，这表明，一个有关原始社会的简单模型，在剥离了特定社会的具体特征后，也许仍然可以解释大部分原始社会制度结构(Posner，1980，p. 8)。

波斯纳强调了家族纽带对于原始社会的集中式保险、保护以及法律实施机制的重要性。贝兹对肯尼亚的研究(1989)也同样聚焦于政治经济背景下的家族纽带的变化模式，并且认为这是理解由部落社会向市场经济快速转型过程中制度约束之演化的关键。

Ⅱ

非正式约束在现代经济中也普遍存在。为了破除法律和经济学者有关法律中心论的教条，罗伯特·埃里克森(Robert Ellickson)对加州夏士塔县(Shasta)的农村居民做了一次实地调查，研究他们是如何处理因迷路家畜越界伤害而引起的纠纷的。[①]他发现，人们几乎从不求助于“依法赔偿”，而是依靠一种精致的非正式约束结构来解决纠纷。在其后的文章(1986)以及即将出版的著作中，埃里克森又提供了更多的有关非正式约束的普遍性的经验性证据。

只要略加思索，我们就会发现非正式约束是普遍存在的。非正式约束的出现是为了协调重复进行的人类互动，它们是(1)正式制度的延伸、阐释和修正，(2)由社会制裁约束的行为规范(socially sanctioned norms of behavior)，以及(3)内部实施的行动标准。我将分别就非正式约束的这些方面进行说明。

在一项有关委员会权力的制度基础的研究中，谢泊斯尔和温格斯特(Shepsle and Weingast，1987)指出：那些无法用正式规则来解释的国会各委员会的权力，产生于一套非正式、不成文的约束，而这些约束是在参与者重复互动(交换)的背景下演化而成的。这些约束是为了解决特定的交换问题而从正式规则中演化出来的，虽然它们从未进入过正式规则，但也逐渐成为了一种公认的制度约束。如此就可以解释为什么委员会及其主席事实上对法案的选择有一定的影响力，并且这种影响力是无法从正式规则中衍生出来的。

罗伯特·阿克塞尔罗德(Robert Axelrod，1986)对由社会制裁约束的行为规范作了生动的说明。在即将与艾伦·伯尔(Aaron Burr)决斗的前夜，亚历山大·汉密尔顿(Alexander Hamilton)坐了下来，写下了所有他不该接受这个挑战的理由。其中最重要的一点，当然是：他可能会被杀掉。但就算他拥有不去决斗的充分的理性基础，他还是觉得这种决定会使自己在公共领域的威信受到重大影响，因为，决斗是绅士们解决争端的公认方式。在这里，是社会规范左右了选择，而不是正式规则。

上述这两种类型的非正式约束都可以被放入财富最大化模型中，因而也可以在新古典（以及博弈理论）的框架中处理。然而，内部实施的行动准则却只能在非正式约束的语境中才能得到解释，并且，它是在个人打算放弃财富和收入而去寻求其效用函数中的其他价值时，左右他们的选择的。有许多文章探讨了议员的投票行为，并得出结论：用利益集团模型（interest group model）（该模型认为议员能忠实地反映他或她的选民的利益）无法解释议员的投票行为，除非将议员主观的、个人的偏好考虑在内（Kalt and Zupan，1984）。尽管这类文献因无法取得一致结果这样一些统计问题而存在争议，但文献中所包含的大量的质的与量的证据表明：为观念、意识形态和信念支付的价格越低，它们对选择的意义及影响就越大（有关经验支持，可参见 Nelson and Silberberg，1987）。

Ⅲ

该如何来解释非正式约束的产生与存续呢？一种普遍且相对简单的解释是将这类约束视为解决协调问题的惯例："这是些从未经过精心设计，但遵守它们对每个人都有利的一些规则"（Sugden，1986，p. 54）。我们通常将惯例比做道路的规则（rules of the road）。惯例的最重要特征是：在交换成本给定的情况下（第 4 章），衡量成本被降到最低，这对交换双方都是有利的，而且，交换能够自我实施（self-enforcing）。就一个经济体系中用于交易的总资源而言，解决协调问题的惯例比之本章后面所要说明的其他那些非正式约束，也许更能解释交易费用问题（尽管在许多例子中，交易费用事实上产生于各种非正式约束的结合）。

那些产生于交换背景中却又不能自我实施的非正式约束，就要复杂一些，因为它们必然会具有这样的特性：只有降低衡量与实施成本，才能促成交换。而在没有约束的情况下，非对称信息以及由此导致的利益分配，将使人们在衡量上耗费过多的资源，或者，由于无法实施，交换根本就不会发生。非正式约束的形式可以是采用公认的低成本的衡量方式（如重量与度量工具的标准化），或者通过特定的制裁机制，以及让第三方获知交换表现的信息网络（信用评级，优良厂商认证，等等），来使第二方和第三方在实施上发挥作用。这种使合作行为规范（非正式约束）发生作用的组织和工具不仅是历史上那些较复杂交易的一个重要组成部分，而且也惊人地与博弈理论模型所认为的“通过改变贴现率和增加信息来达到合作的结果”的观点形成了呼应。各种非正式制度——如早期商人法（law merchant）所公布的商人行动准则等——使较为复杂的交换形式在中世纪末期及现代欧洲早期的发展成为了可能。时价表（prices current）以及审计会计技术的发展，降低了关键性（可衡量）信息与实施的成本。这些都可以用提高合作行动的收益或提高背信的成本的博弈理论框架来解释（Milgrom，North and Weingast，1990）。

比起财富最大化的非正式约束，那些能改变行为的内部实施的行动准则则更难从理论上加以处理。其困难之处在于：需要建立一个模型，来预测个人在财富与其他价值之间的取舍。不过，强烈的宗教信仰等例子，已为我们提供了个人为其信仰而甘愿牺牲的历史证据。如前所述，实验经济学的证据显示，人们并不总是搭便车的。Frank（1988）的研究也提供了大量证据，而且还建立了一个模型来分析这类行为。

上面引述的文献以及本书前面章节中对人类行为的分析都清楚地表明：动机远比简单的期望效用模型来得复杂。我在第3章中也强调，在某些特定条件下，像诚实、正直或保持信誉等等特质，也能从财富最大化的角度加以解释。然而，无法解释的仍是很大一部分。事实上，我们还没有一个能让人信服的知识社会学理论，可以用来说明有组织的意识形态何以是有效的（或无效的），或者用来说明当诚实、正直、勤奋以及投票等的收益为负时，人们为何还是选择去做。

对上述问题有两个不够完整的解释，一是霍华德·马格利斯(Howard Margolis，1982)的双重效用模型（在第2章中提到过），一是罗伯特·萨格登(Robert Sugden)所说的“惯例凝聚了道德的力量”。马格利斯认为，个人拥有的效用函数不是一个，而是两个。其中，S偏好由通常的自利的偏好函数主宰；而G偏好则是纯粹的社会性的（群体利益性质）。他试图通过模型来为其观点填加些实证内容。在模型中，他为自利偏好和群体利益偏好分配权重，并研究在何种条件下权重会发生变化。萨格登(1986)则指出：当一个团体中几乎所有人都遵从惯例时，惯例就凝聚了道德的力量；同时，若个人遵从惯例并且与其交往的其他人也都遵从惯例时，情形就对每个人都是有利的。这样，按照萨格登的观点，“合作的道德”(morality of cooperation)就演化出来了(Sugden，1986，p. 173)。

Ⅳ

行文至此，该将本章的观点放在一起做个总结了。心智处理信息的方式不仅是制度存在的基础，也是理解非正式约束在长期或短期的社会演化中对选择集合的形成产生重要影响的关键。

在短期，文化限定了个人处理和利用信息的方式，因而可能影响到对非正式约束的理解。惯例是文化的，规范也是。然而规范中尚有一些无法解释的问题。是什么使规范演化，或消失——例如以决斗来解决绅士间的分歧？

即便我们还无法很好地解释社会规范，我们仍然可以在博弈论的语境中模型化那些财富最大化的规范。换言之，我们可以对下列这些问题做经验性的研究和检验：哪一类非正式约束最有可能导致合作行为？或者，非正式约束该如何渐进地变迁，才能改变博弈以增加（或减少）合作的结果？这种进路能使我们更好地理解那些相对复杂形式的交换的发展，例如金融市场的早期演化等。[②]

用交易费用的框架来研究非正式约束同样有效。固然，非正式约束无法被直接观察到，但书面形式的契约和一些交易的实际成本，却能为我们提供非正式约束变迁的间接证据。发生在17世纪的荷兰以及18世纪初期的英国资本市场上的利率的大幅度下跌，为我们提供了这样的证据：产权安全性的增加，来源于一系列正式与非正式制度约束之间的有效互动。譬如，由商人行为准则中演化出来的契约实施机制，就包括了对违反合约者的排斥，以及最终的将习俗的行事方式（customary practices）转变为正式的法律条文这两个方面。[③]

在许多情况下，自我施加的行为准则在约束最大化行为方面起到了重要作用，这是明显的。我们对这种行为的来源的理解还很不够，但我们可以通过经验地考察表达信念的成本的边际改变，来衡量它在选择中的重要性。这种分析为我们解释主观感知在影响选择方面的作用打开了一扇门。如果需求曲线的斜率为负（即，表达个人信念的成本越低，则信念作为选择的决定因素的重要性就越高），同时，正式制度使人们表达个人偏好的成本变得很低，那么个人的主观偏好在决定选择时的作用就是举足轻重的。投票、议会中那些使委托—代理关系不再紧密的科层结构，以及法官的终身制等，都是降低人们依信念行事的成本的正式制度约束。

我们不可能理解历史（或当今的经济体系），除非我们承认：主观偏好在那些使我们表达信念的成本为零或很小的正式制度约束中占据着中心地位。观念、有组织的意识形态，甚至是宗教狂热，都在型塑社会与经济体系中发挥着重要的作用。

19世纪的美国经济史（在第1章中曾简要叙述过）中到处都是这样的例子。无论我们是追溯废奴运动（abolitionist movement）的历史与后果，还是考察最高法院法官的推理（正是这些推理明确地支撑着他们所作出的决定），或者是探究美国农民运动中的绿票党（Greenback）、格兰其农民协进会（Granger）、平民党（Populist）的组织、政策以及法律条例，都只有在行为人的主观感知的语境中才能解释得通。正式制度结构改变了个人为其信念所付出的代价，因而使他们的选择能够产生效果。

在第一个例子中，废奴主义者的宗教式狂热促使他们能政治地组织起来，并与北方选民逐渐成长起来的“奴隶制不道德”的信念以及1860年的大选一起，引发了南北战争（Civil War）和奴隶制的废除（Fogel，1989）。在第二个例子中，法官的终身制使他们能避开利益集团的压力，并允许——鼓励——他们为自己的信念投票。而他们的信念则来源于他们对这些议题的主观建构。从马歇尔法庭（Marshall Court，1801—1835）到伦奎斯特法庭（Rehnquist Court），大法官解释或重新解释的是同样的一套规则，但随着时间的推移，这些法律解释却有了180度的转变，这乃是因为法官针对这些议题的主观模型发生了变化。第三个例子反映了农民根深蒂固的信念，即，正是货币政策、铁路、谷物仓储业者以及银行家等，使得他们深受其害。为了这种信念，他们形成了组织，其目的是先在州立法机关、后通过美国国会中的平民党和民主党来实施补救性质的议案。

是什么决定了人们为表达及实践其信念而愿意付出的代价的呢？对这种函数的弹性和替代性，我们知道得很少，不过我们确实有充足的证据证明：这个函数的斜率为负，并且在许多制度环境下，人们依信念行事的成本通常很低（因而信念变得举足轻重）。

对包含在非正式约束中的信息进行文化处理，在长期意味着：它在制度的渐进演化方面起着重要的作用，从而成为了路径依赖的根源。要得到一个清楚的文化演化模型，我们还有很长的路要走（尽管已有了一些有趣的尝试，见 Cavalli-Sforza and Feldman，1981；以及 Boyd and Richerson，1985），但我们已经知道文化特质具有顽强的生命力，并且，大部分文化变迁是渐进的。

同样重要的一个事实是，从文化中衍生出来的非正式约束不会立即对正式规则的变化作出反应，因而，已改变了的正式规则与持存的非正式约束之间的紧张关系所导致的（社会）后果，对理解经济变迁的方式有着重要的影响。这将是本书第2篇将要讨论的主题。

注　释

① 他恰当地将文章取题为："Of Coase and Cattle: Dispute Resolution Among Neighbors in Shasta County"（1986）。

② 一个有趣的博弈论的运用可见：John Veitch，"Repudiations and Confiscations by the Medieval State"（1986）。

③ 参见：Douglass C. North，"Institutions，Transactions Costs，and the Rise of Merchant Empires，"in J. Tracy，ed.，*The Political Economy of Merchant Empires*，Cambridge University Press（forthcoming）。

6 正式约束

正式约束与非正式约束之间，只存在程度上的差异。设想一下这样一个连续的过程：从禁忌（taboos）、习俗（customs）、传统到成文宪法。与社会从不甚复杂的形式到复杂形式的演进过程相似，从不成文的传统，到习俗，再到成文法亦发生着漫长、波折的单向性演进，并且，这种演进很明显地是与较复杂社会的专业化与劳动分工程度的增加联系在一起的。[①]

社会的日益复杂化，必然会提高正式约束的报酬（书写技术的发展使其成为可能），同时，技术变迁通常能降低衡量成本，并鼓励人们使用精确的、标准化的度量方式。为了处理复杂争端而被创造出来的正式法律系统导致了正式规则的诞生；而随日益复杂之组织而演化的科层结构，则带来了限定委托—代理关系的正式结构。契约从无到有的一般特征，已被反复探讨过了，但下面的这些问题仍然值得研究。

正式规则能够补充和强化非正式约束的有效性。它们能降低信息、监督以及实施的成本，并因而使非正式约束成为了解决复杂交换问题的可能方式(见 Milgrom,North and Weingast,1990;本书第 7 章中也会详细说明)。同时,正式制度也可能修改、修正或替代非正式约束。双方谈判能力的改变,将产生出对于不同的交换制度框架的有效需求,而其成败,则取决于非正式约束。有时(但并不总是),新的正式规则可能取代现存的非正式约束(关于这一点,我将在第 10 章中予以详细解释)。

I

正式规则包括政治(和司法)规则、经济规则和契约。这些不同层次的规则——从宪法到成文法、普通法,到具体的内部章程,再到个人契约——界定了约束,从一般性规则直到特别的界定。并且,一般而言,修改宪法比修改成文法的成本高,正如修改成文法的成本要比修改个人契约的成本高一样。政治规则广泛地界定了政治的科层结构,包括其基本的决策结构、日常程序控制的外部特征。经济规则界定产权,其中包括了对财产的使用、从财产中获取收入、以及让渡一种资产或资源的一系列权利。契约则包含了专属于交换的某个特定合约的条款。

在决策各方的初始谈判能力已经给定的情况下,规则的功能在于使交换便利地进行,无论是政治交换还是经济交换。现存的权利结构(及其实施特征)界定了参与者可能的财富最大化机会,而这些机会则可能通过一个经济的或政治的交换来实现。交换或是指在现存的一套制度中所进行的谈判,或是指参与者发现值得投入一些资源去改变更为基本的政治结构,以使权利能得到重新配置。

在相对谈判能力给定的情况下,经济或政治利益分歧的程度,影响着规则的结构。这主要是由于:利益越是多样,简单多数规则(simple majority)(在政治上)就越是难以奏效,并且交换也越是倾向于采用那些能使复杂形式的交换(部分是正式的,部分是非正式的)得以便利进行的结构,或通常采用以联盟来解决问题的其他方式。然而,必须注意的是,正式规则的功能在于促进某些特定类型的交换,而并非所有的交换。因此,正如麦迪逊(James Madison)在其《联邦党人文集第 10 篇》(*Federalist Paper Number* 10)中所指出的那样:宪法结构在 1787 年的修订,不仅是为了促进某些特定类型的交换,还旨在提高这些能促进部分人利益的交换的成本。类似地,在经济交换中,专利法(patent laws)与商业机密法(trade secret laws)也都旨在提高某些交换的成本,因为这些交换被认为会抑制创新。

在继续讨论之前,还需要强调一点,即:到目前为止,我的观点丝毫没有意指"规则即效率"。正如前文所强调的,规则(至少是其中好的那一部分)的设计,其目的是为了提升私人福利,而不是社会福利。因而,取消特许权、限制进入或妨碍要素流动的规则比比皆是。但这并不是要否认观念和规范的重要,而只是想明确一点:更贴切地说,规则来源于自利。

规则的设计通常将依从成本(compliance costs)考虑在内。考虑这一成本,意味着必须要有办法来识别那些违反规则的行为,衡量其违反的程度(从而对交换中另一方的损害程度),并且能识别出是谁在违规。依从成本包括衡量那些待交换的物品或劳务的多重属性,衡量代理人的表现等。在许多情况下,当衡量成本——在给定技术状况下——超出收益时,制定规则与划分所有权就没有必要了。技术或相对价格的变化将改变制定规则的相对收益。

有了这些一般原理作为基础,我们就可以用第 3 章和第 4 章中所得出的框架,来更为仔细地描述政治规则、产权(经济规则)以及契约。

Ⅱ

一般说来,现行的政治规则决定经济规则,尽管这种因果关系也是双向的。换句话说，产权以及由此产生的个人契约是由政治决策过程界定并实施的，而经济利益结构也会对政治结构产生影响。在均衡状态下，一个既定的产权结构（及其实施）将与一套特定的政治规则相一致（及其实施）。其中一个的变化，将导致另一个的变化。但由于政治规则处于相对优先的地位，因此我们先来分析政治系统的结构。

让我们先从一个简化了的模型开始，该模型仅包含一个统治者和一些选民。[②] 在这种简单的情况下，规则制定者就像一个歧视性垄断者（discriminating monopolist）那样行事，他为不同的选民群体提供一定程度的保护与正义，或至少能够减少其内部混乱并保护产权；作为回报，统治者将获得税收收入。由于不同的选民群体有不同的机会成本，其与统治者进行谈判的能力也不相同，因而谈判的结果也是不同的。但不管怎样，提供法律以及实施机制这些（半公共）物品也会带来些规模经济。因而，总收益应是增加的。至于增加的收益该如何在统治者与选民之间进行划分，就取决于他们的相对谈判能力了。任何一种边际改变——无论是统治者的潜在暴力，还是选民的机会成本——都将导致新增收益的重新划分。同时，由于统治者必须组织起一批代理人（一个官僚机构）来监督、测评和征收税收，因而其总收益与净收益之间的差别是巨大的。所有代理理论所固有的效应都会在此发生。

当我们在这一政治模型中引入代议制机构（representative body）概念后，模型就变得复杂了。代议机构反映选民群体的利益，并代为充当选民与统治者谈判的角色。这一概念，与现代欧洲早期的英国议会（parliaments）、荷兰议会（estates general）以及西班牙/葡萄牙议会（cortes）的起源一样，从中折射出统治者因为同意为选民群体提供某些特定的服务，而希望从交换中获取更多收益的需要。代议机构便利了双方的交换。在统治者这一边，代议机构导致了代理人科层结构的发展，这是从简单的（粗放的）王室家务与资产管理，到由官僚来监督国王子民的财产和（或）收入的重大转变。

当我们从现代欧洲早期代议制的历史特征转到现代的代议制民主

时，我们的研究内容复杂了许多。这一方面是由于多重利益集团的发展，而另一方面，则是由于那些为了便利各种利益集团（同样地，相对谈判能力给定）之间的交换而产生的复杂得多的制度结构。[3]这种政治交易费用分析，是建立在承认利益集团之多样性的基础之上的，而这些利益集团反映了特定地区选票的集中度。譬如在美国，政治组织（polity）就包括了由佛罗里达（Florida）和亚利桑那（Arizona）的老年人、宾夕法尼亚（Pennsylvania）与西弗吉尼亚（West Virginia）的矿工、加利弗尼亚（California）的洋蓟（artichoke）种植者以及密西根（Michigan）的汽车制造商等所组成的各类组织。由于存在着如此这般种类繁多的利益集团，因而没有哪一个议员所代表的特定利益集团能够获得多数票。也就是说，议员将不可能仅凭借其自身的单独行动而取得成功，除非他能与其他议员或一些不同利益者结为同盟。

从代表不同利益集团的议员之间的交换关系中，会演化出什么样的制度？已有的研究——始于布坎南和塔洛克（Buchanan and Tullock，1962）——是将重点放在投票交易（vote-trading）和“互投赞成票”（log-rolling）上的。这种进路是一种进步，因为它意识到议员可以通过交易的方式来便利地进行交换。但这种进路有些过于简单，以至于它无法解决议员交换方面的那些根本性问题。这种方法假定：人们事先就可以了解所有可能的法案以及其报酬，并且丝毫也没有考虑时间层面的问题。而事实上，从今日之立法过程中的交换来看，议员只是事先对其未来的行动作出承诺。这样，要降低这类交换成本，就还必须创设出一些制度安排，使跨越时间和空间的交换成为可能。正如在第 4 章中所描述的那些经济交换一样，问题的关键仍然在于对权利交换的衡量与实施。

当报酬只能在未来才显现出来，并且议题也不尽相同时，可靠的承诺是怎样演化出来从而使合约最终达成的呢？自我实施在这类交换中起到了重要作用。在重复交易中，声誉是一个有价值的资产。但正如在经济交换中一样，衡量与实施成本——识别出是谁在欺骗谁，判断何时会出现免费搭车现象，以及由谁来承担惩罚背叛者的成本，等等——使得自我实施在许多情况下并不十分奏效。因而，政治制度就成了政治家相互之间进行合作的事前(ex ante)合约。它们通过形成一个稳定的交换结构来降低不确定性。这样，一个有关承诺结构的复杂系统就产生了，其中既包含正式制度，也包含非正式的组织办法。在近期有关此类结构的研究中，巴里·温加斯特和威廉姆·马歇尔(Barry Weingast and William Marshall，1988)在《国会的产业组织》(The Industrial Organization of Congress)一文中，描述了在美国国会中这种结构的演化。在结论里，他们具体说明了这种演化而来的结构：

> 议员并不交易选票，而是交换一些特殊的权利。这些权利能使权利的拥有者对严格界定的政策权限(jurisdictions)具有更大的影响力。由议程机制(agenda mechanisms)确立的各种产权是产生这类影响力的根源。也就是说，通过议程机制来决定何种议案将付诸表决。对特定政策的额外影响力，制度化了一种特定的交易模式。当委员会中席位的拥有者正是那些将要为这些议题成为选举市场上的正式议案而出价的人时，在这种委员会系统中产生的政策选择，将等同于那些在更为直接的交易系统中产生的结果。由于交换已被制度化了，因而在每一新的立法会期对此进行再次的协商是没有必要的，从而也较少受制于实施问题(Weingast and Marshall，1988，p. 157)。

我们通常认为，政治从只有单个、绝对的统治者到民主政府的演化，提高了政治效率。这是因为，民主政府使民众能越来越多地参与到政治决策的过程中，它剥夺了统治者任意敛财的权力，并且建立起一个独立的司法机构来作为合同实施的第三方。其结果确实是向更高的政治效率迈进了。然而，将有效率的政治市场与有效率的经济市场做同等意义上的理解则是不正确的。有效率的经济市场的存在，意味着激烈的竞争，通过套利与信息反馈，这种市场几乎能够接近于科斯的零交易成本状态。然而这种市场在经济世界里尚且比较少见，在政治世界就更是少之又少。确实，向民主政体的转变，降低了单位交换的立法交易成本（其阐述见 Weingast and Marshall，1988），但与此同时，不仅交换数量的增加将导致政治交易的总规模扩大，而且存在于选民与议员之间、议员与官僚之间的代理成本还将会有实质性提高。更重要的是，在许多情况下，选民的理性无知（rational ignorance）将使其不完全的主观感知在他们的选择中发挥更重要的作用。尽管极少数知情选民也许在就熟悉的地方性和重复出现的问题进行选择时，能清楚地知道他或她自身的利益所在，但即便如此，当他们在面对一个政治与经济世界相互依赖的、复杂的、不重复发生的问题而要作出选择时，还是会感到茫然无措。在这里，重要的是：正式的政治规则与正式的经济规则一样，都是为了促进交换而被设计出来的。但政体中的民主却不能等同于经济体系中的竞争性市场，这一点在我们考虑产权的效率时，将是尤为重要的。

Ⅲ

可以概略地说，资源与资产产权的发展，是对设立与实施这类产权的成本进行简单的成本—收益分析，并与现实中存在的其他可能的方式进行了一番比较之后的结果。任何相对价格或相对稀缺程度的变化，都可能导致财产权的创立，只要设立这些财产权的成本是值得付出的。这一简单模型不仅是我早期研究（North and Thomas，1973）的基础，也是大量有关财产权研究文献的基础。这一模型将产权的发展看作经济成本与收益变化的简单函数。这种产权演化的简单模型与阿克塞尔罗德（Axelrod，1984）的《合作的演化》（*The Evolution of Cooperation*）应该是一致的。然而，这种论点没有考虑政治的作用，没有涉及那些由政治界定与实施的产权。

在1981年的论著中，我修正了自己1973年的观点，以便找出无效率产权存续的原因。这些无效率产权之所以存在，或是因为统治者不愿意激怒那些有势力的选民，不愿意采取更有效率但触犯这些有势力的人的利益的规则；或是因为，监督、衡量以及征税的成本可能导致这样的结果：相对低效率的产权反而比那些更有效率的产权能带来更多的税收收入。这一论点比之效率观点是一个改进，但仍有待于进一步扩充。

政治市场的效率是探讨这一问题的关键。倘若政治市场的交易费用不高，同时政治的参与者又有精确的模型作为指导，那么有效率的产权就会生发出来。然而，政治市场的高额交易费用以及行为人的主观感知因素，似乎更容易产生那些无法引致经济成长的产权，而随之产生的组织则可能根本没有创造出一些更具生产性的经济规则的动力。问题不仅仅在于制度变迁具有渐进性的特征，还在于该怎样设立制度来提供可靠的承诺，以使有效率的谈判能够达成。在第11章，我将要探讨这些充分的发展路径是怎样随着时间的推移而得以存续的。

Ⅳ

规则是自上而下的，从政治、到产权，再到个人契约。契约反映了内置于产权结构（以及实施特征）中的“激励—非激励”结构，故而，参与者的机会集合以及在特定契约中所创设的组织形式，也都来源于产权结构。

经济理论所关注的契约是简单、完全而又直接的（straightforward）。它涉及的只是瞬间发生的、单一层面上的产品交换。而现代复杂经济中的契约则是多层面的，而且还将延续一段时间。因为其是多层面的——不仅是指物理特征方面，还包括交换的产权特征等，所以契约就必须做到事无巨细、面面俱到。这同时也意味着：契约通常不可能是完全的。在契约的存续期内存在着太多的不确定性，这使得订立契约的双方必须（审慎地）通过法庭或某个第三方来处理发生在合同期内的各种争端。[④]

契约不仅提供了一个明确的框架，从中我们可以导出关于组织形成的实证资料（进而也是对有关组织的假设进行检验的基本的实证来源），同时，它还提供了有关交换各方用何种方法构建更为复杂的组织形式的线索。换言之，诸种契约体现了能使交换得以便利进行的不同方法：或是通过厂商、特许经营权，或是通过其他更为复杂的、由直接市场交换延伸至纵向一体化交换（vertically integrated exchange）[⑤]的各种协议。关于制度性约束的复杂交易以及组织的发展问题，本书将在第9章中讨论。

在本章结束之前，我还想提请各位注意一点：尽管明确的规则能给我们提供一个检验在不同条件下经济体绩效的实证数据的基本来源，然而这些规则与绩效之间事实上并不存在严格的一一对应关系。也就是说，由非正式规范、规则和实施特征所组成的混合体（mixture），将共同决定选择集合与最终结果。故而，仅仅关注规则，将会使我们形成对正式规则与绩效之间的关系的不充分的且常常是错误的理念。

注　释

① 有关我们所意指的正式规则，Elinor Ostrom（1986）有一个详细而富有创见的讨论。Ostrom 将规则结构分拆为下面几个细类（specifics）：定位规则（position rules），界定一套位置以及每一位置上之参与者的人数；边界规则（boundary rules），界定参与者之被选择处于特定位置或离开特定位置的理由；范围规则（scope rules），界定一系列可能受到影响的结果，以及归属于每一个结果的外部诱惑和（或）成本；权威规则（authority rules），界定处于特定环节（a particular node）上的每一位置的行动；加总规则（aggregation rules），界定在特定环节上所使用的决

策函数，以使行动能映现(map)为阶段性或最终结果；信息规则(information rules)，规定处于不同位置上的参与者之间相互交流的渠道，并界定交流时所使用的语言和形式。

② 在第3章中曾详细说明过这个简单的模型。见North(1981)，"A Neo-classical Theory of the State"。

③ 近25年来，政治理论的发展可说是与经济理论的发展并驾齐驱的。这种发展源于一种非制度环境(a-institutional setting)，正如同经济学中的非制度模型一样。然而从正式理论的角度看，其结论是：稳定的均衡不可能被演化出来，政治系统的持续模式是"循环"(cycling)(起码在两党、无意识形态的模型中)。然而，这种正式发现却与经验及描述性研究的结果不相符合。这些研究未能提供有关这种非均衡特性的证据。因而，从政治理论角度探究制度结构的本质是如何在政治系统中导致均衡状态的演化的，还有待于进一步深入。有关这种演化以及一个结构引致型均衡(structure-induced equilibrium)，见Kenneth Shepsle(1986)，"Institutional Equilibrium and Equilibrium Institutions"。

④ 关联交易(relational exchange)和复杂契约事实上构成了现代交换的特征。有关这方面的讨论，可参见Goldberg(1976)。

⑤ 近15年或20年来在新产业组织理论(New Industrial Organization)方面演化出来的大量文献，在组织的演化以及如何通过公司治理形式解决复杂交换问题方面，为我们提供了许多有价值的资料。特别地，可参见威廉姆森(Williamson，1975)的《市场与科层》(*Markets and Hierarchies*)，以及由他的开创性工作而引出的其他文献。

7 实　施

许多有关交易费用的文献将实施当作是一个既定的条件，并将其假设为完美的或总是不完美的。实际上，上述这两种情况都很罕见。实施机制的结构，以及其不完美的频率与严重程度，是影响交易费用与契约形式的重要因素。实施通常都是不完美的，这是由两个原因导致的。关于第一个原因，我们必须回到前面的章节，也就是有关衡量构成契约绩效的多种因素所需支付的成本的探讨；而第二个原因则是基于这样一个事实：实施是由代理人执行的，因而他们自身的效用函数将影响结果。

在第 4 章，我们假定交易各方都有财富最大化行为。在此基础上，我们考察了委托人与代理人在交易物品的价值属性上的信息不对称问题。在本章，我想将这一分析延伸到对权利转移过程中所产生的问题的探讨。促使交换双方信守契约的（交易）费用必须是足够小的，因为惟其如此，双方才会认为交换是值得一做的。从表面上看，这个问题似乎很简单。因为那些被经济学家视为经济绩效之基石的贸易收益，自然会使交换双方认为值得为此合作，以便共同获取这些收益。在有些情况下，正如我在前文中所提到的，问题的确就这样解决了。就算是在无政府的(stateless)社会中也存在着贸易。然而，也正如我在前文中所强调的，一个社会不能发展出有效的、低成本的契约实施机制，乃是导致历史上的停滞以及当今第三世界不发达的重要原因。[①]

I

契约在何种条件下才能自我实施(self-enforcing)？在一个“财富最大化”的世界里，答案很简单。只要信守契约对双方来说都更为有利，契约就能自我实施。换言之，考虑到衡量与实施合约的高昂成本，信守契约所带来的收益将大于成本。最常见的——事实上也是实证分析所观察到的——契约能自我实施的状态是：交换双方相当了解，且进行着重复交易，正如前面曾详细分析过的那些部落、原始社会和小社群的情况。在这些环境中，信守合约当然是有利的。在这样的世界里，稠密的社会关系网络使得可计量的交易费用极低；欺诈、卸责(shirking)、投机行为等所有现代工业组织中会出现的问题，在这里都极为罕见，甚至不会出现，因为这些行为都会一无所获；行为规范决定交换，而正式的约束则不存在。

另一个极端的例子是，在以专业化相互依存为特征的非人际关系化交换的世界里，个人福利依赖于以个人专业化为特征的复杂结构，从而交换跨越了时间与空间的界限。在一个纯粹的非人际关系化交换的世界里，物品、服务或代理人的表现由多种有价值的属性组成。交换经年累月地发生，并且不存在重复交易。在衡量成本高且没有可能的实施方式的财富最大化语境中，欺诈和背信(reneging)所带来的收益将大于合作行为的收益。显然，我这里所说的，是一种非人际关系化交换的极端形式。因为在现实世界中，不论是现在还是过去（那时非人际关系化交换确乎也有了某种程度的发展），环境似乎并非都如此严峻，而交易双方在这些情况下也能设法信守合约。交换人质以及排斥背信的商人的做法，就是激励双方信守合约的两个例子。此外，建立在信息成本基础上的声誉，为双方提供了一个在长距离和非人际关系化交换中实施合约的机制。血族关系纽带，各种形式的忠诚，以及在敌意的环境中由共同的信念而团结在一起的少数族群——所有这些，都提供了这样的框架：在其中，信守合约是值得的。此外还必须提到的是，在某些时间或场合，对正直、诚实等的意识形态上的信奉也起到了重要作用。但尽管如此，由于缺乏有效的第三方实施而导致的非人际关系化交换的困境，正是许多事关发展的问题的关键。

Ⅱ

让我通过扩展第 2 章中曾简要论述过的博弈论框架，来更清楚地解释这一困境。[2] 在那一章中，我是从一个非常简单的囚徒困境问题开始讨论的。在那种情形下，信守交换条款对于从事单次交换或签订单次合约的双方来说是不值得的。这样，理性自利的个人只能得到帕累托次优的结果(Pareto inferior solution)。也就是说，因为一方意识到如果对方不合作而自己选择合作，那自身情形将会更加糟糕，所以，与合作解相比，双方的福利水平都下降了。现在，有一些办法可以使他们克服困境。他们可以事先签订一个契约，规定一系列必须信守的标准，他们还可以雇佣律师来监督契约的实施。不过请注意，他们的这些做法事实上已经将交易费用牵扯进来了。而且，为确保双方信守合作结果而产生的交易费用也有可能会高于双方能从中获得的收益。

如果我们将单次博弈改为重复或反复博弈，那么，就正如阿克斯劳德已经探讨过的，出现合作解的可能性就大大增加了。换句话说，如果博弈能无限次地进行下去，则信守交换条款对双方都是有利的，因为不断重复交易的收益将大于背信弃义“捞一票”的所得。然而，我要提请各位注意的是，这里所指的博弈是那种被认为将永远持续下去的博弈。当博弈有终局，或人们认为有可能结束时，人们在决定继续合作是否值得时就将考虑贴现率因素。继续进行下一轮博弈的可能性越小，为保持均衡状态所需支付的报酬就越高；同时，短期收益的概率越大，为保持均衡所需支付的报酬也越多。还要注意的是，即便博弈是持续不断进行的，交易费用也仍然存在，因为人们还是需要获得有关于另一方的信息。自然，有关合作解的诸多假设条件在现实世界中极少具备。它们要求博弈是不断延续的，人们总是与相同的对手进行重复博弈，以及一方可以观察到另一方履约的情况等。这个模型中的“观察对手履约情况”事实上意味着：一方可以确定无疑地衡量出契约的结果，从而也就能相应地判断出另一方是否在事实上违背了契约的条款。

博弈论的这种演化过程告诉我们：在极其简化的条件下，当双方拥有完全的信息，博弈是无限延续的且对手相同时，自我实施的合作解就可以达到。显然，这些假设条件不仅太强，而且在现实世界中根本不可能出现。在非人际关系化交换的情况下，我们与多人交易且对他们的相关信息所知甚少。我们的信息不仅是不完全的，而且在个人之间的分布也极不平均。在许多情况下，交换是“一锤子买卖”(a once and for all exchange)，根本不会重复进行。在这些条件下，容易看出为何我们在此所提出的问题不能通过存在于非人际关系化交换中的合作解来解决。在一个财富最大化的世界里，人们只能够得出这样的结论：那些能使人们在非人际关系化交换条件下从贸易中获取收益的复杂契约，必须伴随着某种形式的第三方实施。事实上，这一结论正好与本书第2章结尾处所引的诺曼·斯科菲尔德(Norman Schofield)的那段话相呼应，在那段话中，他描述了在复杂的合作博弈中产生均衡解的各种必要条件。

这一博弈理论与本书前几章所构建的框架是相通的。在简单的新古典条件下,贸易收益在无需交易费用的情况下就可以获得。这就是说,交换双方无需成本,就能得到有关另一方的所有信息,而且实施也是完全的。在信息完全的情况下,制度没有存在的必要,但倘若信息是不完全的,那就必须要创造出一种制度,来为个人提供稽查背信行为(police deviations)所必需的充分信息,这样才有可能得到合作解。制度对合作的确保可以从两个方面来看。首先,需要建立一个交流机制来为何时实施惩罚提供必要的信息。制度通过提供这类相关信息,使稽查缺失(policing of defections)成为可能。制度还往往能减少信息的需求量,例如,它可以使人们不再需要了解对手以往的所有行为。第二,由于惩罚通常是一种公共品,即,使全体受益,而成本却由少数人承担,因而制度还必须要为那些承担惩罚他人的职责的个人提供激励(有关这一论点的详细阐释,可参见 Milgrom,North and Weingast,1990)。需要强调的是,创建一种能带来可靠承诺的制度环境,意味着必须建立起一个包含正式规则、非正式约束以及实施在内的复杂的制度框架。上述这三者的结合,使低成本的交易成为了可能。

这一观点的含义是:人们有可能设计出一个制度框架来改进衡量与实施,并进而促成交换,但由此而产生的交易费用将会在总体上高出其在新古典理论中的水平。在交易中为确保合作结果所需投入的资源越多,则新古典模型中的贸易收益被稀释得越多。交换在时间和空间上越是复杂,为实现合作结果所需的制度便越是复杂,成本也越高。通过一些能降低信息成本的自发制度(voluntary institutions)来建立第三方实施,可以使许多复杂的交换得以实现。然而,要真正实现内生于现代经济技术中的、非人际关系化交换的贸易收益,就必须依赖那些以强制力量来实施合约的制度。因为在非人际关系化交换的条件下,纯粹自发的第三方实施系统的交易费用是相当高的。相比之下,由政治组织作为第三方、动用强制力量来实施合约,则在监管与实施合约方面存在着巨大的规模经济效应。不过,这里却又暗藏着一个经济发展的根本困境。如果说我们不能没有国家(state),那么同样,有国家也未必是件好事。如何才能让国家像一个不偏不倚的第三方那样行事呢?

Ⅲ

如果说正式的第三方实施是不可或缺的,那么准确地界定其涵义就变得十分重要。从原理上说,第三方实施需要有一个中立方。该中立方有能力在无需成本的情况下衡量出契约的诸种属性,并且能无成本地实施合约。这样,第三方就可以迫使侵权的一方给予受损的一方一定程度的补偿,从而使违反契约的代价变得十分高昂。显然,这种强假设条件在真实世界里是极少——如果有的话——能碰上的。对诸种属性进行衡量需要成本。同时,实施契约的是代理人,他们有自身的效用函数,这些效用函数支配着他或她对问题的感知,从而其自身利益将左右他们的行动。实施也是需要成本的。事实上,即便只是想弄清契约是否被违反了,也常常需要成本,而对违约行为进行衡量就更需要成本,拘捕违约者并实施处罚的成本就更高。

对于从事非人际关系化交换的经济体来说,如何完成第三方实施是个很大的难题。政治组织的可靠承诺——如保证不违反双方签订的契约,或承诺不使用手段来使契约双方的财富和收入状况发生重大改变等——的发展总是相对的;即使在那些最发达的国家里,我们还是能够看到一些政治团体运用各种改变价格水平或改变那些影响个人福利的规则的办法,来改变双方的财富分配状况的情况。但尽管如此,在发达国家与第三世界国家之间,人们对契约实施的信任程度还是存在着巨大的差别。

在发达国家,有效的司法系统包括完善的法律以及各种各样的相关从业人员,如律师、仲裁人和调解人等。人们在一定程度上相信:影响结果的是法律依据而非私下的交易。与此相反,在第三世界经济体中,实施是不确定的。这不仅因为法律条例本身所存在的疑义(一种衡量成本),还因为代理人的行为也存在着许多不确定性。

即便存在着一种法律系统能有效地对付违反契约的行为,从而实施可以很充分、能保证复杂契约的签订,签约者仍然要考虑到:在某些情况下,仅仅是衡量契约是否已完成,也是困难的。因而,在未来或代理问题(很难对其实施)方面存在不确定性时,签约双方将试图构建一种契约结构,以使发生违约行为和租金耗散(rent dissipation)的可能性降到最小。[3]

对实施进行分析的意义何在?我将回答这个问题,并对上文的分析做一个总结。第三方实施意味着国家必须成为一种监督产权并有效实施契约的强制力量。但据我所知,目前还没有人知道该如何创造出这样的一个实体。事实上,在严格的财富最大化的行为假设下,即便是想要抽象地创造出一个这样的模型,也很困难。简单地说,如果国家具有这种强制力量,那么那些管理国家的人将会利用这种力量来为他们自己谋取利益,而社会的其他成员将会因此受到损害。麦迪逊在《联邦党人文集》中曾就这一问题给出了一个解决办法;文森特·奥斯特罗姆(Vincent Ostrom,1971)在其复合式共和(compound republic)理论中,又对此做了扩展。他们认为:正确的宪政形式(constitutional forms)将阻止政治权力被粗暴地使用。但尽管如此,威廉·莱克(William Riker)的质疑似乎也颇有道理:

> 另一个主题,就是祈福于宪政形式在阻止政治权力被粗暴使用方面的功效。这个主题恰好是我想讲的。我想,我将为被他归功于威尔森(Woodrow Wilson)的那个观点辩护。作为一个宪政学者,我与奥斯特罗姆(Ostrom)教授受到了同样传统的熏陶,我最初总倾向于赞同他的主张(proposition)。同时,每次当我确实找到了一个例子,证明宪政形式会对自由造成影响时,我的发现就又被我自己推翻了。当然,这只是一个因果关系的方向问题。奥斯特罗姆教授认为我们之所以是自由人,起码部分原因是由于我们拥有

> 某种宪政形式；但是，我们也可以同样简单地说：我们有这样的宪政形式是因为我们是自由的人。问题在于：是宪政结构带来了政治条件与民意状况(a state of public opinion)，还是政治条件与民意状况带来了宪政结构？这一问题乍听起来像是个无法搞清因果方向的“鸡与蛋”的问题，但我认为，因果联系通常是有的，而宪政形式则常常是个衍生品。在我看来，民意极有可能导致宪政结构的生成，而反过来的情况——如果有——也当属罕见。正如卢梭(Rousseau)曾说过的：只有当法律深植于民心时，法律才能显出其重要性来(Riker，1976，p13)。

在接下来讨论历史的章节中，我将简要地描述这种宪政形式在17世纪的英格兰是如何演化而成的。这一故事的结局相当完美，但它却并未确定地告诉我们这种成功是如何获得的。自然，这是一个正式与非正式约束的共同杰作。对法律的尊重以及法官的诚实与正直这两个方面是这个成功的故事的重要组成部分。在那里，存在着一些自我实施的行为标准。我认为这一点很是重要。但这些自我实施的约束又是如何被创造出来的呢？部分的答案是：创造出一个有效的实施以及一个行为的道德约束系统的过程是漫长而缓慢的，只要是演化，就需要时间来慢慢发展。这一条件在非洲从部落社会快速转型为市场经济的过程中是明显缺乏的。威廉·莱克(William Riker)的引文触及了“创造有效的制度性约束”问题的核心。

注　释

① 对实施的这一强调，是本研究与威廉姆森(Oliver Williamson)的交易费用研究方法的又一重大区别。威廉姆森虽然假定实施是不完美的(否则机会主义的选择就不值得了)，但在研究中他却并未将其处理为一个明确的变量。这样的方法根本不能帮助学者处理历史演化问题。在历史演化中，制度变迁、契约以及绩效等关键问题，都取决于在多大

程度上契约能低成本地得到实施。

② 本节内容主要建立在博弈论重要文献的基础之上，其中克莱普斯（David M. Kreps）的文章《企业文化与经济理论》（Corporate Culture and Economic Theory）尤其有帮助。该文即将在由 Alt 和 Shepsle 主编的《实证政治经济学观点》（*Perspectives on Positive Political Economy*）一书中发表。

③ 详见 Barzel（1982）。

8

制度与交易费用和转形成本

界定与保护产权以及实施合约，都需要耗费资源。制度与所用技术一起决定交易费用。由土地、劳动和资本等投入品转形为商品与服务，也需要耗费资源。转形不仅是所用技术的函数，也是制度的函数。故而，制度是影响生产成本的关键因素。

在前面的章节里，我说明了为何交易需要成本，并且检验了约束人类互动的制度性约束的各种形式。在第9章，我将探讨学习(learning)以及各类组织修正或改变制度与交易费用(以及转形成本)之间关系的方式。不过在此之前，我想先将此前的一些观点整合到一起。

不同级别的规则——宪法、成文法、普通法[甚至是一些法规章程(bylaws)]——结合在一起，界定了存在于特定交换中的正式权利结构。此外，契约的签订也须将交换的实施特征(enforcement characteristics)考虑在内。由于衡量需要成本，因而大部分契约都是不完全的。这样，非正式约束对于实际的合约来说就变得举足轻重了。非正式约束包括声誉、普遍接受的行为标准(其有效性表现在:对方的行为能被容易地观察到),以及因重复交易而产生的惯例。交换中的权利与约束之间的关系可分为三个层次:首先是存在于简单、直接的交换中的;其次是涉及生产过程的较复杂的关系;最后,是整个经济体系。

I

有关简单、直接的交换,我将以现今美国住宅产权的转让为例来说明。这类转让牵涉到一系列的以实物资产交换金钱的权利。这些权利既包括规定个人如何处置财产的法定权利,也包括附着在财产物理属性上的权利。金钱代表了对资源的控制力量;而制度则决定了这种交换的成本。这里的成本包括以下几项:对拟交换财产在法律与物理属性两个方面进行衡量的成本,监管与实施合约的成本,依交换条款在衡量与实施方面的不完全程度而定的"不确定性折扣"(uncertainty discount)。不确定性折扣的高低受不对称信息——房屋的状况(卖者知道)、财政状况(买者清楚)——等特定契约要素(specific-to-the-contract factors)的影响,也受犯罪防治的有效性等社区性因素的影响,还受价格水平的稳定程度等全国性因素的影响。

与卖者的效用相关的,是价格、条款以及契约义务的保障程度,亦即买方事后履行契约的可能性。住宅对买方的价值则不仅是价格、信用条款的函数,还是随着买卖而转移过来的诸种属性的函数。有些东西,如转移过来的法定权利以及财产和房屋的面积,是容易衡量的;还有一些,如财产的总体外观特征等,也是可以立刻察看到的;但另有一些,如房屋的维护与维修成本、邻居的品行等,则不是一下就能搞清楚的。同样的,由于财产遭遇违约、征用、产权不清以及偷盗的可能性与严重程度很难确定,因而财产的安全性也是不同的。

在传统的新古典范式中，信息是完全的（即交易费用为零），因而被转让的资产的价值被认为不仅是以完全的信息为基础，且其产权也有完全的保障。在此条件下，由于买方与卖方根本无需成本就可确认转让物的所有属性（物理的和产权的）的价值，产权的不确定性与不安全性也就不存在了。于是，用标准的零交易费用的“房屋的供给与需求模型”就能决定资产的价值。事实上，由于上述所有的属性都会影响该房屋对买方以及对卖方的价值，因而折扣越小（与理想化的新古典模型相比），则市场越完全。制度整体界定并决定了折扣的大小，而买方与卖方所承担的交易费用则反映了制度框架。

在房屋转让的交易费用中，有一些是市场成本，如法律成本、房产经纪成本、产权保险（title insurance）以及信用评级调查成本等；另有一些是各方用于采集信息与搜寻房屋等的时间成本。有关犯罪率、警察保护以及安全系统的信息的获得，也需要买方投入搜寻成本。买方的效用函数多多少少会受到吵闹的邻居以及宠物的影响，因而买方值得花费一些成本去确认邻里的特征以及那些型塑邻里间交往的规范与惯例。

房屋市场的这一特定制度矩阵（institutions matrix）中所包含的首要部分，是从美国宪法条款以及各州政府权力中衍生出来的各个级别的法律规则。州法律界定了不动产的让与（conveyance）特征，区划法（zoning laws）限定了何种权利可被转让，而普通法与成文法则支撑、界定或限制了一系列的自愿组织（voluntary organizations）。所有这些，都影响着交易费用。房产经纪人、产权保险、信用机构，以及那些对抵押市场造成影响的相关储蓄与贷款，都将受到影响。这些组织的效率是产权结构、实施以及资本市场（包括自愿性的或政府的担保、补贴，以及其他资本市场工具）的函数。同样重要的是那些广泛地补充或加强正式规则的非正式约束。从邻里间的行事惯例，到界定各方在信息交换中的诚实程度的各种伦理规范，凡此种种，皆属非正式约束范畴。

我在此论述的，主要是那些降低交易费用的制度。然而有些制度——诸如那些限制进入的规则，要求进行无用检查的规则，提高信息成本或让产权变得更不安全的制度——实际上提高了交易费用。上述这些经济规则产生于政治组织，反映了签约者、贸易联盟以及政治市场上其他参与者的谈判力量（bargaining strength）。由于市场是不完全的，于是不论在何处，制度总搀杂着一些降低成本或者提高成本的部分。美国的住宅房屋市场还算是一个相对有效率的市场，其制度总的说来能够诱致低成本的交易。

回到第 4 章的模型，与经济理论中所设想的无摩擦交换之间的差距的大小，取决于制度结构在多大程度上能允许第三方影响到买方效用函数中的属性的价值。这种影响包括：邻居的行为，偷盗发生的可能性，以及地方当局改变区划规则从而影响财产价值的可能性。对买方而言的不确定性越大，资产的价值就越低。类似地，制度结构通过决定契约的履行或在违约情况发生时卖方的受保障情况，来决定卖方的风险。值得强调的是，上述种种权利保障方面的不确定性，乃是区分现今高收入国家相对有效率的市场与过去以及当今第三世界经济体之间差别的关键因素。

Ⅱ

让我们将对制度与交易费用之间关系的分析从直接的交换，转到那些涉及物品与服务的生产的交换上来。制度框架将同时影响转形成本与交易费用。影响到后者，是因为制度与交易费用之间的直接联系；而其对前者的影响，则是通过影响所用之技术而产生的。在前面章节中讨论过的所有的衡量与实施的常见问题，在这里都仍然成立：产权结构、法院与司法系统的有效性、自愿组织与规范的相应发展（complementary development）。特别地，企业家还必须要能查明企业的投入与产出的数量与质量，在新古典模型中这是可以无成本地获得的。因而，新古典理论所假想的厂商与真实的厂商之间存在着巨大的差别。前者只是比不考虑任何组织、监管、协调、监督和测度等成本的生产函数略有了些改进,而真实世界的企业(real-life firm)必须购买投入品,并且,要使产出品的质量恒定,还必须始终对投入品进行衡量与测度。在其他条件不变的情况下,质量的变异将对产品的需求产生负面影响。当质量是可变的时,消费者(如是中间产品,则指生产者)将不得不为检验质量而投入资源,因此,能使产品质量保持稳定的生产者必然受到欢迎。[①]

对于我们所言的有效率的要素与生产市场来说,完全的衡量与实施只是一个暗含的假定,它们的实际存在需要一系列复杂的制度来促进要素的流动、技术的获取、生产过程的连续、信息传递的快速与低成本,以及新技术的发明与创新。要实现所有这些条件无疑是天方夜谈(a tall order)。它们永远都不可能完全地实现。这是因为,正如上文对交换制度所作的分析,实际的制度框架事实上常常既包含有那些有利于提高生产能力的制度,又包含着那些为进入设置壁垒、鼓励垄断限制、阻止信息低成本流动的制度。

只要对比一下第三世界经济体中的组织与那些先进的工业经济中的生产性组织,我们就能对界定不清的和(或)无效率的产权所产生的后果,留下深刻的印象。对于前者来说,制度框架不仅会导致较高的交易费用,而且无保障的产权还会促使人们去使用那些固定资本比例较低的技术,还会妨碍长期合约的形成。在第三世界的经济体中,企业通常是较小的(那些由政府运作或保护的除外)。此外,那里还存在着其他一些实际的问题,如无法找到零配件或要等上两年才能装上电话等,这必然会造就出一些与发达国家的要求不同的生产性组织。贿赂虽然可能在错综复杂的进口控制中使交货提速,或者能快速地装上电话,但由此而造成的"影子"交易费用(shadow transaction costs)将极大地改变相对价格,进而改变所使用的技术。

即便是在那些产权相对有保障的高收入国家,也可能或者说实际上时常会出现这种情况：一个监督成本较高的技术组合，比之一个产出相对较低但生产中的变数也较低、或监督工人的成本较低的技术，或许是更没有效率的。新近研究交易费用的许多文献均含有这样的意思：制度单单决定交易费用，而技术只决定转形成本。然而，下面的三个交织着技术、制度、转形成本、交易费用之间的相互影响的例子足以证明：这些因素之间的关系并非如此简单。

(1) 马克思主义学者认为：在20世纪早期，就逐渐出现了劳动力与技术相分离的现象。这也就是说，雇主采用资本密集型的技术来淘汰那些有较高技艺的工人，取而代之的是半熟练或不熟练工人。这一指控的逻辑是：高技艺工人所具有的谈判力量，使他们有可能采取中断生产过程的策略，而在现代技术“高速吞吐”(high speed throughput——钱德勒语)的情况下，这将带来巨大的成本。雇主发现，引进技术，使用熟练程度较低但没有中断生产过程的谈判力量的工人，将能使总的长期成本降低。在这个例子中，一种新生产技术的引入，起到了减低交易费用的作用。

(2) 油田的联合——即创造出一个具有强制力与监督权的组织来分配油田的产出——增加了交易费用(因为需要投入资源来创造和维持一个组织，并进而监督其成员对组织的服从情况)。但同时，油田的联合降低了转形成本(因为采油与回收利用更有效率了)，转形成本的降低甚至足以弥补交易费用的上升(Libecap and Wiggins，1985)。在这个例子中，一种制度变动所导致的交易费用的上升却由于转形成本的降低，得到了更大的补偿。

(3) 谢泼德(Andrea Shepard，1987)讲述了一个半导体制造商所采用的政策：准许其竞争对手参与新芯片的设计。通过这一做法，他向消费者保证：不会因为他们采用了新的设计而被索要高价。这样，通过化解客户的疑虑，提高了他们对其产品的需求。然而，这一政策虽然降低了交易费用，却是以牺牲生产效率为代价的。因为无论是规模经济，还是学习曲线(learning curve)的效应，都被拱手让给了竞争者。提供第二家竞争者的信息给消费者乃是经营中一个惯常的做法。

在劳动产出的数量与质量方面，非正式约束往往起着重要的作用。马克思主义者虽然很早就意识到了劳动投入的数量与产出的数量和质量之间的关键性区别，但直到近来，这一问题才成为经济学家关注的焦点（这起码部分地是由于近年来在日本和美国汽车制造方面所表现出来的劳动产出质量上的差异）。召开产品研讨会，设计出一种组织形式来鼓励工人的参与与合作，挑选出有吃苦耐劳品质的工人等，都已成为新产业组织理论当前的研究主题。劳动市场的独特性在于：制度的设计必须考虑到产出的数量与质量将受到生产要素的态度的影响——因此，鼓舞士气能在一定程度上替代在监督方面的更多投入。

Ⅲ

纵观前面的讨论，我始终强调的一点是：交易费用反映了制度的整体。正式的与非正式的制度，构成了一个经济体，或者在更大的规模上，一个社会。这一总体结构最终决定了个人契约层次上的交易费用。而当经济学家谈论有效率的市场的时候，他们却只是简单地将这一错综复杂的约束框架的存在看成是一件理所当然的事。举例来说，资本的成本，就部分地由一个复杂的金融媒介结构决定，而存在于这一结构中的消费者信用与抵押市场、股票市场与债券市场之间的关联，又受到政府约束和管理机构的复杂结构的限制。这些管理机构，（在美国）上至联邦储备系统（Federal Reserve System），下至各州法律，它们管理着从银行支线业务到利率上限等的所有事情。此外，在资本的供给与需求背后，还存在着诸如产权保险和信用评级机构等等的其他制度与组织。对制度结构做更深入的探讨，我们还将发现那些界定正式约束的政治制度。政治制度、经济制度与组织之间的联系显见于国会中主管资本市场的委员会，以及那些在资本市场上代表各种利益集团的游说组织。这种联系网络还延伸到行政部门以及具体的管理机构。自然，在新政治经济学试图详细解释议会以及其他政府部门的制度结构时，在新政治经济学家试图提出分析框架时，所有这些，都成为了他们的有利论据。

比较第三世界国家的交易费用与发达的工业经济体中的交易费用，我们会发现，前者的单位交换成本比后者要大得多——由于成本太高，有时交换甚至无法进行。在第三世界的制度结构中，不存在构成有效率市场的基础的正式结构（与实施）。不过，在那些国家通常存在着一些非正式部门（实际上就是地下经济），来设法为交换提供一种结构。这种结构伴随着巨大的成本。由于缺乏正式的产权保障，就连那些能产生自我实施型契约的人际关系化交换系统也受到了限制。[②]事实上，第三世界国家中存在的问题并不仅限于较高的交易费用。在那些国家，决定基本生产结构的制度框架，似乎永远停留在不发达状态。

企业，是为了把握获利机会而存在的。而获利机会又是由一系列既有的约束界定的。当产权缺乏安全保障、法律实施不力、进入遭遇障碍、垄断限制存在时，以利润最大化为目的的企业必然倾向于做短期的且固定资本投入较少的投资。因而，企业规模通常较小。贸易、再分配活动以及黑市（black market）交易将有可能成为最有利可图的业务。固定资本投入较多的大型企业只可能存在于政府的保护伞下，而政府保护包括补贴、关税保护以及对政治组织的支付等——所有这些都无助于生产效率的行为。

Ⅳ

让我对前文分析中的部分含义进行一些梳理，并结束本章。

（1）界定个人机会集合的制度约束，是一个正式约束与非正式约束的综合体。它们构成一个相互联系的网络。不同的组合方式决定了在不同的情况下的不同的机会集合。理解了这一点，就容易理解为何制度是稳定的，但它却又能产生出诸多不同的选择情况。

制度稳定的原因在于：一个特定的选择要受到大量具体约束的影响，正如我们在住宅财产买卖那个例子中所看到的那样。显著的制度框架的变迁，牵涉到众多约束的诸多变化，这其中不仅包括法律约束，还包括行为规范。也许对于从事某项特定交换的人来说，制度约束还不够理想或有效，因而他们希望重构制度，但同样的一套制度对另一些选择来说可能仍然是有效率的，并且，真正起决定性作用的是个人与组织的谈判力量。因此，只有当正式规则的改变对那些拥有充分谈判能力的人是有利的时候，正式的制度框架才可能会有重大变化。

此外，正式约束与非正式约束的复杂组合使得在特定条件下的连续渐进的变迁成为可能。正式规则与非正式约束的微小变化，会随着时间的推移而逐渐地改变制度框架，进而演化出一个与初始状态不同的选择集合。这里只是简要讨论。制度的稳定性和边际渐进式变迁，都将是第二篇的主题。

(2) 制度约束的复杂组合将带来各种不同的正式与非正式约束的结合体。而正式与非正式约束的不同组合又会影响衡量与实施的成本。这些成本越高，交换双方就越是会利用非正式约束来型塑交换。当然，在某些极端情况下，交换或许根本就无法进行。纵向一体化(vertical integration)可以部分地解决这些成本问题。但必须注意：尽管组织内部的衡量成本与市场上的不同，但它却并不一定总是低的。当非正式约束达到主宰交换形式的程度时，它通常能成为应对对方可能的背信行为的办法。这样，如在第 7 章中所述的那种自我实施的契约将成为交换的主要形式。当然，我们也知道，在第三方实施无法进行的情况下，这种交换必然是有限的。

(3) 在作为交换的约束基础的制度框架中，交易费用是最容易被观察到的部分。交易费用包括那些产生于市场因而可衡量的成本(见 Wallis and North，1986)，也包括那些难以衡量的成本，如为了获取信息而花费的时间，排队，贿赂等，还包括由于监督与实施的不完全而导致的损失。这些难以衡量的成本，使得我们无法精确地估计一个特定制度的总的交易费用。但尽管如此，就我们能做的范围，我们在衡量制度效率方面也可望有所进展。

资本市场的利率水平或许是了解制度框架的效率的最清楚的量化指标。但在第三世界国家，电话系统的失灵，零配件的难以获得，无休无止的生产中断，为取得许可而长时间地排队等候，以及产品差异性等，也都是其缺乏有效率的制度性基础结构（institutional infrastructure）的最有力的证据。

（4） 本章的要旨是：在经济绩效方面，制度框架起着主要的作用。本章前面描述过的房屋买卖证明了这一点。大量的制度使大规模的房屋市场有可能出现，资本市场、保障产权的制度、大量便利交换的自愿性组织，都在形成一个相对有效率的美国住宅市场——与第三世界或美国早期类似的房屋市场相比——方面，起到了关键性的作用。不过，我也曾努力地指出：有些制度约束也会使交易费用提高。因而，总体的市场是一个各种制度的混合物。有些制度能提高效率，有些则降低效率。但无论怎样，将某些国家（如美国、英国、法国、德国以及日本）的制度框架与第三世界国家或发达的工业国家历史上的制度框架作个比对，将能使我们清楚地看到：制度框架对于那些相对成功（无论是国别比较，还是做历史阶段上的比较）的经济体来说，是一个至关重要的因素。制度约束在历史上的演化方式，以及它们是如何决定经济绩效特征的？——这将是本书余下部分所要讨论的重点问题。

注　释

① 1973年6月17日的《纽约客》上刊登了Susan Sheehan的《豌豆》（"Peas," *The New Yorker*, June 17, 1973）一文，其中对厂商必须动用大量资源来保证恒定的质量有精彩的分析。文章详细描述了豌豆的

生产过程,为了查明豌豆的大小、软硬与甜度,"绿巨人"(Green Giant)公司不得不将大量的资源用于监督和测度——这一过程从田间地头开始,直到罐头运给零售商才告终止。

② 参见德·索托(de Soto,1989)的《另一条道路》(*The Other Path*),其中对秘鲁的经济结构及其大量非正式部门的特性有十分透彻的分析。

第 2 篇

制度变迁

9 组织、学习与制度变迁

在第8章，我的分析从制度与交易费用转移到了经济体的绩效方面，但在分析中我没有将组织考虑在内。而在第1章，我曾介绍过制度与组织之间的关系，现在我再回到那里。组织及其企业家(entrepreneurs)从事的是有目的的活动，因而，他们是制度变迁的主角(agent)，他们型塑了制度变迁的方向。在本章中，我将要说明组织是如何引致变迁的。

让我们从科斯(1937)的论点开始。在科斯看来，交易费用是企业存在的基础。当信息与实施无需成本时，很难想象组织还能起到什么重要作用。但事实并非如此。那么，组织的作用是什么呢？企业，作为一种组织形式，曾被认为是剥削工人(Marglin，1974)、克服资产专用性(asset specificity)以及后契约机会主义(postcontractual opportunism)问题(Williamson，1975，1985)、降低经济活动的衡量成本(Barzel，1982)的一种工具。

不论上述这些观点有多少价值(而且它们并非全都

互相排斥),本书的研究重点是:组织作为一个有目的的实体,是由其创立者设计出来、用来最大化其财富、收入,以及其他一些由社会制度结构所提供的机会所限定的目标的。

在追求这些目标的过程中,组织逐渐地改变着制度结构。当然,组织并非总是社会生产性的,因为制度框架也时常会提供一些反常的激励。组织之被设计出来,是为了实现其创立者的目标。组织不仅是制度约束的函数,也是其他一些约束的函数(如技术、收入、偏好等)。这些约束之间的相互作用型塑了企业家(经济的或政治的)潜在的财富最大化机会。如果我们想探究某些组织为什么会存在,如欧洲中世纪的行会或庄园、现代欧洲早期的受管制公司、15 世纪法国的议院(estates general),或是 20 世纪美国国会的委员会结构、黑手党(Mafia)或通用汽车公司等,我们的模型就不能只考虑近期在企业与政治组织方面演化出来的那些文献,还必须加入对制度约束型塑组织及其目标的方式所进行的分析。组织为了促进其目标而必须获得的知识与技能,将反过来极其深刻地影响现有知识的演化以及知识被应用的程度。

I

用团队竞技体育来打个比方,在一系列广泛地界定比赛方式的正式与非正式规则以及强制力量给定的情况下,我们该如何来评价我们所看到的比赛?很明显,运动员的技术以及他们有关比赛的知识将是决定性因素。即便规则相同,业余等级比赛与专业比赛相比,或是同一个球队的第一次比赛与第一百次比赛相比,仍然会是不同的。这种差别之所以存在,是由于在业余比赛与职业比赛中的可沟通知识(communicable knowledge)与默会知识(tacit knowledge)是不同的,还由于重复比赛中的"干中学"(learning by doing)。

可沟通知识,顾名思义,是指那些可在个人之间进行传递的知识。

默会知识(由 Michael Polanyi 所创造,1967)部分地可通过实践得来,并只能部分地沟通。不同的人获取默会知识的天分是不同的。人们不可能只凭书本就打好网球,即便是经过了训练,运动员之间的差别仍然很大。在体育中所蕴涵的道理也适用于许多其他技能。其中,企业家的技能也许是最重要的一种。组织中的“干中学”,顾名思义,是指组织经过重复的互动,能获得一些协调方面的技能并发展出能顺利运作的例行流程(对这类问题的探讨见 Nelson and Winter,1982)。

组织中的成员所要获得的知识、技能以及学问(learning)的种类,反映了蕴含于制度约束中的报酬(payoff)——激励。黑手党会发展出与通用汽车公司主管不一样的技能。再拿一个经济史上更一般性的例子来说,冒险商(Merchant Adventurers,15 世纪的羊毛织物出口商)所必须掌握的技能和知识,与现代纺织品出口商所需要的就十分不同。这一点是不言而喻的,但同时它对制度变迁来说又有很深的含义。对知识与技能的需求反过来创造出增加知识存量与分配知识的需求,这种需求实际上反映了现有的对获取不同知识的报酬的感知。这样,今日美国之投资于知识的需求就与伊朗,或回溯历史,与中世纪的欧洲,大为不同。增加知识所得到的(私人的)报酬率可体现在下列这些行为的高回报上:改进军事技术(在中世纪的欧洲)、对宗教教条的追求与弘扬(君士坦丁时期及其后的罗马),或更一般地,如探寻一种精确的经度仪(chronometer,使航海人能在海上确定其所处的经度,这在大探险时代曾得到过巨额奖励)。

获取纯粹知识(pure knowledge)的激励不仅受到货币报酬或惩罚的影响,还受社会对这种发展的容忍程度的影响。从伽利略到达尔文,长长的一串富有创造性的人的名单足以证明这一点。探讨科学的起源与发展的文献很多,但我发现,在这其中能对制度结构(如本书所定义的)与获取纯粹知识的激励之间的联系进行有自我意识(self-consciously)的探索的文献并不多。而事实上,对纯科学研究的效用的逐渐认识,是西欧得以发展的一个重要因素。

由纯粹知识到应用型知识(applied knowledge)的转化,是那些直接的学术研究感兴趣的问题。技术变迁方面的文献,从熊彼特到施姆克勒(Schmookler)、戴维(David),再到罗森伯格(Rosenberg),可谓汗牛充栋。关于这些文献,有四点需要强调:

(1) 在产权激励缺失的情况下,市场规模是决定创新增长率和技术变迁的唯一的、最重要的因素(Sokoloff,1988)。

(2) 通过专利法、商业秘密法以及其他一些法律,激励机制得到了发展,而激励机制的发展提高了创新报酬率,带动了发明产业(invention industry)的发展,并使这一产业融入到现代西方世界经济的演化过程中。这构成了第二次经济革命(the Second Economic Revolution)的基础。[①]

(3) 正如罗森伯格(Rosenberg,1976)所指出的,纯粹知识与应用型知识之间的联系并不简单。纯粹知识是应用型知识的前提,但应用型知识的发展则开启了或提出了需要探索的问题。因此,应用型知识是纯粹知识发展的重要源泉。

(4) 技术的发展凸显出技术变迁方式的路径依赖(path-dependent)特征。这一论点对于本书后面的分析来说意义重大。假使技术是沿着一条特定的路径发展的,那么,在报酬递增的情况下,其他可选的路径和技术将被人们弃之于不顾,这样,发展也将完全被导入到一条特定的路径。这样顺势发展的结果,如阿瑟(Arthur,1989)和戴维(David,1985)所指出的,并不总是最优的。

知识的分配如今也成为大量文献的主题。这类文献主要涉及的是人力资本方面的讨论,而人力资本主要取决于学校教育(schooling)与在职培训(on-the-job training)的发展。由于学校教育的发展起码在很大程度上是一个社会的制度特征的函数,因此在本书的分析中,学校教育的发展是一个因变量。这里的关键点在于:人力资本的投资与有形资本的投资通常是互补的;在人力资本市场不完全的情况下,人力资本的增长不一定能与有形资本结构的成长同步。

以知识和意识形态为主题的文献就少了许多,并且其所知也极为有限。这里我想强调指出的是,这是一个双向的联系,即,知识的发展方式型塑了我们对周遭世界的感知,而这些感知又型塑了我们对知识的追求。很明显,从学习的角度看,西方中世纪时期的智识生活(intellectual life)完全由教会主宰。即使是在当今世界,许多地方的意识形态或多或少地还是无法容忍纯粹知识的发展。知识的发展方式影响着人们对周围世界的感知,进而影响他们理性化那个世界、解释那个世界以及证明其为合理的方式。而这又反过来影响到建立契约的成本。若人们感知到系统的规则结构是公平的、公正的,那么成本就会降低;同样,若人们感知到系统是不公正的,那么建立契约的成本就会提高(假定契约的衡量与实施无需成本)。

Ⅱ

我将把受制度框架制约的企业的最大化目标与知识存量的发展联系在一起讨论。先从新古典式的企业开始。在那里,管理的唯一功能,是选定可以使利润最大化的产出与投入品的数量,即决定数量以及随后的价格。由于能免费地获取所需要的信息,而且计算方面也无需成本,因此,就算是在考虑这些任务的完成方面,新古典模型也排除了管理对于绩效来说任何有意义的生产能力。在短期,企业无需成本,就可以实现最大化。

这种新古典方法遭到了批评。首先是奈特(Knight,1921)的《风险、不确定性与利润》(*Risk, Uncertainty and Profit*),然后是科斯(Coase,1937)的《企业的性质》(*The Nature of the Firm*)。这些论文将经济学家的注意力引向了对组织的探究。奈特聚焦于企业家在谋求降低不确定性方面的作用,而科斯则引入了交易费用概念,正是这样,企业的存在才变得有意义。事实上,管理的真正任务是设计与发掘市场，评估产品与生产工艺，以及积极地管理雇员的行动。在所有这些任务中都包含着不确定性，都需要对信息进行投资。[②]

发掘市场、评估市场与工艺，以及管理雇员等，都不是发生在真空中的。它们需要发展出默会知识，以便洞悉那些与衡量和实施相联系的复杂关系。企业家所需要的信息与知识的种类，在很大程度上是特定制度背景(context)的产物。这种制度背景不仅型塑了内部组织，决定了纵向一体化程度与治理结构，还决定了那些最有利于实现企业目标的各种圆通办法。故而，要弄清对不同种类的知识和技能到底存在着哪些需求，我们就必须首先对制度背景进行一番考察。

要想成为一个成功的海盗，就必须懂得大量有关海战、商航的贸易路线、潜在受害者的武器装备、船具和船员的多寡，以及战利品市场的知识。成功的海盗必须获得这些必需的知识与技能。这种活动将带动海盗以及受害者改进海战技术的旺盛需求。

在 20 世纪早期的美国，要想成为一个成功的化学品制造商，就必须懂得化学知识和化学品在各种中间及最终产品中的潜在用途和市场，此外，还要懂得与大规模组织有关的各种问题。成功的化学品制造商带动了对应用及纯粹化学理论研究的需求，同时也促进了对市场和能降低生产成本和交易费用的新的组织形式的研究的需求。

如果基本的制度框架能使收入的再分配(海盗行为)成为一个广受欢迎的(最有利可图的)经济机会，那我们就可以希望有一个十分不同的——比之那种由生产能力提高(20 世纪化学品制造方面)的经济机会所带来的——知识与技能的发展。当然，上面所述的都是些极端的例子，但也是些理想的、有代表性的例子，它们代表了大部分的经济史。内置于制度框架中的各种激励在型塑有效的技能与知识方面，起着决定性的作用。

我并不是在暗示存在着一种简单的关系，可以据此毫无疑义地预测结果。企业家的最大化努力有时也会带来些意想不到的结果(见第 10 章)。例如，对海战的研究可能得出根除海盗行为的技能，对 20 世纪厂商组织所进行的研究也可能发现一种使化学产业卡特尔化的新的合法方式。但我在这里总的想法应该是很清楚的：(1)制度框架将型塑获取知识与技能的方向；(2)这一方向将是特定社会长期发展的决定性因素。如果企业或其他经济组织投资于那些能提高有形资本或人力资本投入品的生产能力的知识，或是投资于能增进企业家默会知识的方面，那么由此而带来的生产能力提高将是与经济成长相一致的。但如果厂商的最大化行为是放火或暗中破坏竞争者，工人组织的最大化行为是怠工或做无用工(make-work)，而农民的最大化行为是迫使政府限制农产品产量并提高价格，那情况又会怎样？制度框架限定了组织的最大化机会。但即使是在当今最具生产能力的经济体中，制度框架所产生的信号也是混杂的。关于这一点，就算是对当前美国经济中的正式规则与实施特征做最随意的观察，也能看得出来。我们有导致产量限制、做无用功和犯罪的制度，也有鼓励生产性经济活动的制度。总的来说，后者要多于前者。但在人类历史上的大部分时期，或在当今许多第三世界国家中，情况却又并非如此。

经济组织的最大化行为通过以下几个途径型塑了制度变迁：(1)派生出了投资于各种知识的需求(上面已讨论过)；(2)有组织的经济活动、知识存量与制度框架之间的持续互动(后文将讨论)；以及(3)作为组织的最大化行为的副产品，非正式约束也会有渐进性的改变(将在第10章中讨论)。

Ⅲ

厂商的最大化行为既可以是在现有的约束集合中作选择，也可以是去改变约束。威廉姆森(Williamson)和一些学者有关厂商的文献，探讨了在既有制度约束条件下的最有效率的治理结构与组织。[③]厂商的这种最大化活动得自于“干中学”以及对有效的技能和知识的投资。但还有另一个办法，就是投入资源去改变制度约束。厂商或经济组织将往哪个方向走，取决于他们对报酬的主观感知。很明显，在当代美国经济中，经济组织在这两个方面都会投入资源。那么，是什么决定了相对报酬以及组织试图通过政治活动来达成的制度变迁的种类的呢？

在第 6 章，我详细阐述了一个关于政治体（polity）的交易费用模型，并简要探讨了经济体与政治组织之间的互动。在这里，我想重点讨论由这种互动而导致的渐进性变迁过程。有充分谈判能力的组织会利用政治组织来达成自己的目标，只要在这个方向上的最大化收益能高于在现有约束内进行投资所能得到的收益。但总的说来，在总体制度框架内的渐进性变迁要比经济组织投入资源直接去改变政治规则以增加他们的利润的情况普遍得多。组织也会鼓励社会去投资于那些能间接地提高他们的获利能力的技能与知识。这种投资型塑了技能与知识的长期成长。而技能与知识的长期成长又是经济成长的根本决定因素。

美国的经济史就是一个例子。在 19 世纪，增加知识与发展教育的可被感知的报酬，促使公共部门与私人部门投资于正式教育、职业培训，以及与农业和工业活动有关的应用型研究。其结果不仅是钱德勒（Chandler，1977）所言的经济组织的逐渐转型，以及教育组织在自行其道以及施加政治影响力方面的成长，还包括政治家与投票人对这种投资的价值的不断演化的感知。结果当然是多方面的。达尔文理论与创世神学论所发生的冲突、宗教正统观念与科学发展之间的对峙一直延续到了今天。但总的结果印证了最初的感知——经济绩效与在知识的成长与传播上的投资呈互补关系。美国在 20 世纪表现出了巨大的生产能力。这个故事带给我们的重要启示是：知识市场与市场参与者的主观感知碰合在一起，创造出了接近于社会报酬率的私人与公共教育投资。

在历史上的大部分时期，鼓励对生产性知识进行投资的制度激励大多是缺乏的。甚至是在今天的第三世界经济体中，这种激励也常常被错用(misdirected)。即便第三世界国家确实想投资于教育，他们也时常错误地将其投在高等教育上，而不是投在初等教育上(在第三世界国家，初等教育的社会报酬率要远高于高等教育)。那么，为什么它们的情况与美国的情况形成了如此大的反差呢？假使私人市场是有效率的，那么正确的投资应该能通过自愿性组织来形成。而如果市场是不完全的，从而私人的回报率太低以至于私人投资不再值得尝试时，正确的投资(在初等教育领域)就应该通过公共投资来完成(假定社会成员认可这种投资具有较高的社会回报率)。但是，第三世界国家的这种公共投资无法形成或被错用的现象提示我们：高额的交易费用导致了市场的不完备，同时，构成行为人主观模型的知识与理解也是不完全的。

Ⅳ

我试图整理出一些有目的的组织(及其企业家)与制度之间的互动对长期经济绩效的含蕴。系统性地投资于技能、知识及其在经济中的应用，意味着一个经济的动态演变必有一套特定的制度特征。而要对这些特征进行描述，我们就必须在一个与简单的配置效率不同的语境中来考虑效率问题。就配置效率而言，标准的新古典帕累托条件是成立的。但另一方面，适应性效率(adaptive efficiency)所关注的则是那些型塑经济之长期演化方式的规则。[④]它同时还关注社会对获取知识与学问、引发创新、从事各种冒险的创造性活动以及解决随时间的推移而产生的社会问题与瓶颈(bottlenecks)的意愿。

我们还远未能达到洞悉适应性效率之方方面面的程度，但很明显：整体的制度结构在决定一个社会或经济体系在多大程度上能鼓励试验、实验和创新——我们可以将这些归结为适应性效率——方面，起着关键性的作用。根植于制度框架内的激励带动了“干中学”的过程以及默会知识的发展，从而引领个人在决策过程中逐渐演化出一个与他们起先所面对的不一样的系统。我们只需要读一下阿尔钦(Armen Alchian,1950)的论文,就能理解这一点。在一个存在着不确定性的世界里,没有人能够知晓我们所遇到的问题的正确答案,因而,事实上,也没有人能真正确保利润的最大化。一个社会若能极大地支持各种类型的试验,就最有可能在长期解决这一问题(这是哈耶克的一个广为人知的观点,见 Hayek,1960)。这样,适应性效率为分散化决策过程的发展提供了激励,而分散化决策过程可以让社会尽力去发掘各种解决问题的办法。我们还必须能在失败中学习,这样,变迁就包括组织试验的发生以及组织错误的淘汰。这一过程绝不是简单的,因为组织的错误可能不仅是或然性(probabilistic)的,还可能是系统性(systematic)的,意识形态可能恰恰使人们更偏好那些与适应性效率相背离的解决方案。

不同的制度规则将会对默会知识产生不同的激励。也就是说,特定的制度不仅决定了哪些经济活动是有利的、可行的,还将通过如进入管制、治理结构以及组织的灵活性等因素,型塑厂商和其他组织的内部结构的适应性效率。特别是,那些鼓励默会知识的发展与利用的规则,以及随之而产生的富于创造性的企业家才能,对于有效率的组织来说都十分重要。在有效率组织的研究方面,纳尔森和温特(Nelson and Winter,1982)以及帕里肯(Pelikan,1987)都作出了重要贡献。

显然,竞争、决策的分散化、明晰界定的产权契约以及破产法等,对于一个有效率的组织来说都非常关键。淘汰失败的经济组织和政治组织的规则也是不可或缺的。可见,规则的有效结构不仅奖励成功,还会封杀掉组织结构中那些不符合要求的部分,这意味着有效的规则将消弭不成功的努力,而提升成功的努力。

我们还远未能了解该如何来达成经济体的适应性效率,因为配置效率与适应性效率并不总是相容的。有效的配置效率可以为现存的企业和决策带来安全——但这通常又是以牺牲熊彼特所看重的那种创造性毁灭过程(creative destruction process)为代价的。而且,政治过程实际上鼓励的是那些对现有的有影响力的谈判集团有利的约束的发展。

尽管如此，有适应性效率的组织框架古今皆有。这正如那些无适应性效率的框架一样，以前有，而今依然存在。

注 释

① 理查德·纳尔森(Richard Nelson)在其即将发表的新近研究《作为进步之动力的资本主义》(Capitalism as an Engine of Progress)一文中，探讨了企业谋取创新收益的各种不同方式。他发现：如果说专利制度对某些产业是重要的，那么，在创新过程日趋复杂之际，“商业秘密”和其他一些机制也变得越来越重要了。

② 有关这一进路的厂商理论的精彩分析，可参见德姆塞茨(Demsetz，1988)的《企业理论的再思考》(The Theory of the Firm Revisited)。

③ 参见威廉姆森(Williamson，1985)的《资本主义经济制度》(*The Economic Institutions of Capitalism*)一书，其中对本问题的研究极富洞察力。

④ 详细分析请参见 Pelikan(1987)。

10

稳定性与制度变迁

变迁的主角(agent),是那些能对根植于制度框架内的激励作出反应的个人企业家。变迁的源泉,则是变化着的相对价格与偏好。变迁的过程一般是渐进的。我将在本章中将这些因素结合在一起讨论。

变迁通常由对构成制度框架的规则、规范和实施的复杂结构的边际调整所组成。制度框架的总体稳定性使不受时空限制的复杂交换成为可能。回顾这些稳定性特征将有助于增进我们对渐进性变迁的过程的理解。

产生稳定性的是一系列约束的复杂组合,其中包括嵌套在(nested in)科层结构(hierarchy)中的各种正式规则。在这种科层结构中,任何一种改变都只会产生比其原先状态更高的成本。这其中也包含非正式约束,它们是规则的延伸,是对规则的详尽阐述,是规则的先决条件(qualifications)。由于非正式约束已经成为人们习惯行为的一个组成部分,因而它们具有顽强的生存能力。这些约束使人们在日常的交换过程中不再需要随时随地地、费尽心机地思考每次交换的条件。我们通常用常规(routines)、习俗(customs)、传统(traditions)或惯例(conventions)等词汇来提到这些非正式约束的存在。并且,正式规则与非正式约束之间的复杂互动,与实施方式一起,型塑我们的日常生活,指引着我们生活中的大部分现世(mundane,这个词最能让我们体会到什么是制度的稳定性)活动。虽然规则与规范的组合变幻无常,但正如我已经讨论过的,不管怎样,它们的结合总能带给我们那种知道自己正在做什么以及正在往哪里去的舒适感觉。

但有必要再次强调:这一系列的稳定性特征并不一定意味着其所倚靠的制度是有效率(就这个术语在本书中的含义而言)的。尽管稳定性或许是复杂的人类互动的一个必要条件,但显然,它并非效率的充分条件。

I

制度在变迁,而相对价格的根本性变化乃是制度变迁的最重要来源。对于非经济学家(也许还应包括一些经济学家)而言,我如此这般地强调相对价格变化的影响,或许是件难以理解的事。但相对价格的变化改变了个人在人类互动中的激励,而制度变迁的仅有的另一来源,是偏好的改变。

制度变迁的来源,如要素价格比率的变化(即土地—劳动、劳动—资本或资本—土地等比率的变化),信息成本的改变,技术的变化(包括重大的、重要的军事技术)等,皆属于相对价格的变化。这些相对价格变化,有些是外生于前面章节中所得出的分析框架的(如欧洲中世纪晚期由于鼠疫而导致的土地—劳动比率的变化);但其中的大部分是内生性的,反映了企业家(政治的、经济的和军事的)持续的最大化努力,并进而引致制度变迁。企业家获取技能与知识的过程通过改变感知得到的(perceived)衡量与实施成本、改变感知得到的新谈判与契约的成本与收益,改变相对价格。

无论是在政治上还是在经济上,谈判力量的改变将带来重构(restructure)契约的努力。在以往的研究中(North and Thomas,1973;North,1981),我已着力研究过相对价格的改变所起到的作用,因而在此我不想再更深入地探讨这个问题。相反,我倒是想探索一下"口味(tastes)的改变"这一麻烦得多也困难得多的问题。

我们对偏好(preferences)或口味(tastes)的改变的来源所知甚少。但有一点很清楚,相对价格的变化对于口味的改变起到了一定的作用。也就是说,相对价格的长期根本性的变化,将改变人们的行为模式以及他们对行为标准之构成的合理解释(rationalization)。眼面前的一个例子是:在 20 世纪,工作、闲暇以及节育之间的相对价格变化已经根本性地型塑了家庭结构的变迁。Fuchs(1983)和贝克尔(Becker,1981)的研究详尽地记录了本世纪家庭结构的变迁方式。在家庭结构变化的同时,人们对道德问题以及妇女在社会中的角色问题的意识形态取向(ideological attitudes)也发生了改变。然而,只从相对价格变化角度来寻求对现代西方妇女的行为规范的复杂变迁的解释,无疑是对这类错综复杂且人们还所知甚少的人类行为的一种过分简化。相对价格变化经由了先存(preexisting)的心智构念(mental constructs)的过滤,而先存的心智构念则型塑了我们对这些价格变化的理解。显然,观念(ideas)及其驻留的方式,在此起到了一些作用。价格变化与观念具体是怎样混杂在一起的?关于这一点,我们还远未弄清。

我将通过一个经典案例来做进一步的说明。有一个重要的制度变迁,就其本身而言,不能仅由相对价格的变化而得到全部的解释。在其中起重要作用的,乃是一种观念。这种观念来源于文明人与日俱增的对"人拥有人"的现象的憎恶。于是,在全世界范围内兴起了反对奴隶制的运动。显然,正如我们从美国学术界对奴隶的本质的大量争论中所得知的那样,这种制度甚至直到美国内战期间,还仍是能带来利润的。自然，反对奴隶制的运动有着很深的渊源并且相当复杂，甚至还有些集团以此来为自己谋取私利。例如，在19世纪上半叶，针对美国国会有关政治控制权问题所涉及的改变与西部关系的提案，南方和北方就利用了奴隶问题。他们试图借此来改变双方在地区冲突中的相对谈判力量。不过，能让政治家借题发挥的，乃是反对奴隶制的运动本身所蕴涵的知识的力量(Fogel，1989)。在此，或许最值得强调的一点是：个人表达他们对奴隶制的憎恶的成本很低，而与此同时，奴隶的拥有者所付出的代价则十分高昂。这个例子支持了我在前面章节中所表达的观点：制度结构，在这个例子中是选举程序，使得人们可以用很低的成本来有效地表达他们的观点与观念。这样，在19世纪30年代的英国，正如在1860年的美国，投票人在奴隶问题上就这么做了(尽管在英国，奴隶的拥有者得到了赔偿，而在美国，如果北方早就预见到了内战所要付出的代价，结果也许就会很不一样)。这里的关键在于：在这种制度结构中，南方的奴隶主根本不可能通过贿赂或给投票者以一定的报酬，来阻止他们表达自己的信念。

对奴隶制之瓦解的简短讨论，是建立在允许人们以很少的成本来表达他们的意愿的制度框架基础之上的。我在此并非意指不会出现那种人们愿意为其观念或理想作出重大牺牲的情况。事实上，当人们的意识形态观念强烈到一定程度时，他们就能为此作出重大牺牲，而这种牺牲在历史进程中也曾扮演过重要角色。不过，本书的主要论点是：制度，通过降低我们为我们的观念所付出的代价，而使观念、教义、时尚以及意识形态等成为了制度变迁的重要来源。反过来，对制度变迁的理解的进一步深化，又需要我们更进一步地去理解到底是什么使观念与意识形态能得以长期驻存？因此，在极其精确地界定相对价格变动与形成人们感知的观念与意识形态之间的相互作用方面，以及在精确地界定上述二者引致制度变迁的作用方面，我们仍有欠缺。

Ⅱ

组织在不断地演化，价格时刻在变。那么，在什么情况下，相对价格的变化会导致制度变迁？又是在什么情况下，它们只可能促使人们在现存的规则框架下重新缔约？在一个“均衡”的语境中来探究这些问题，是最简单的办法。制度均衡是指：在各方的谈判力量以及一系列构成整个经济交换的契约性谈判给定的情况下，任何一方都不可能通过投入资源来重构合约而获益。需注意的是：均衡状态并不意味着每一个人都对现存的规则和契约感到满意，而只是指：改变游戏的相对成本与收益对于已签约的各方来说并不划算。现存的制度约束界定并创造了这样的均衡。

制度变迁的过程可以表述为：一种相对价格的变化使交换的一方或双方（不论是政治的还是经济的）感知到：改变协定（agreement）或契约（contract）将能使一方甚至双方的处境得到改善，因此，就契约进行再次协商的企图就出现了。然而，契约是嵌套于规则的科层结构之中的，如果不能重构一套更高层面的规则（或违反一些行为规范），再协商或许就无法进行。在此情况下，有希望改进自身谈判地位的一方就极有可能投入资源去重构更高层面的规则。就行为规范而言，相对价格的变化或偏好的改变将使其逐渐被削弱，甚或被其他规范替代。长此以往，规则就可能被改变，或被弃之于不顾，或不被实施。同样地，一种习俗或传统也可能会被逐渐侵蚀或替代。当考虑到议程权（agenda power），或考虑到搭便车问题，或考虑到行为规范的韧性等种种因素时，上面这个简单的模型还可以变得更复杂。但作为一个制度变迁模式的纲要，这个简单的模型已经给出了某些最基本的特征。

上述纲要遗漏了制度变迁的主角。尽管非正式约束——行为规范——的变迁似乎并不需要个人或组织进行有特定目的的活动就能演化而成，但正式规则和(或)实施的变迁通常却需要动用大量的资源，或最起码的，要克服搭便车问题。如上所述，企业家及其组织会对价格比率的变化(可感知的)作出反应，或者是直接的——投资于新的可赢利机会，或者，当现存规则不允许这样做时，则通过间接的方式——投入资源去改变规则或其实施的成本与收益。

(政治的或经济的)企业家会运用他们的才能或默会知识来搜寻获利的机会、估计成功的概率、用组织的资源来冒险以获取潜在收益。显然，组织的效率取决于能否感知到并实现这些机会。当影响规则及其实施的报酬足够大时，他们将出资创建一些介于经济组织与政治体系之间的中间组织(贸易协会、游说集团、政治行动委员会)，来获取政治变化的潜在收益。社会资源越是受政府决策的影响(直接的，或通过管制)，资源越是会被投向这类功守同盟(为了防止被反向侵害)的组织。

非正式约束是如何变迁的？虽然我们还不能精确地解释那些型塑文化演化的力量，但很明显，一个社会的文化特征会随着时间的推移而发生变化。在其中，偶然事件、学习，以及自然选择，都将发挥作用(Boyd and Richerson，1985)。最常见的解释尽管也承认文化传递的作用，但却更强烈地依赖于进化论。当然，文化演化理论还处于其婴儿期，因而对于特定的非正式约束的变迁研究来说，还并没有多少直接的价值。但有一个观点却很重要：面对相对价格、正式规则或政治状态(political status)的变化，文化特征的持续性使得非正式约束的变迁与正式规则的变迁并不同步。

也许我们对文化继承的宏观层面还知道得很少，但我们可以从微观层次上来对非正式约束的变迁做更多的研究。在一定程度上，如上所述，相对价格或偏好的改变可能会使一些非正式约束根本不为公众所理睬，从而无疾而终。本书则认为：非正式约束的主要作用是修改、补充或扩展正式规则。因此，正式规则或其实施的变迁将导致一个非均衡状态的出现，因为构成稳定选择理论的基础的，是一个包括正式与非正式约束以及各种实施在内的综合因素。但还要注意，任何一种制度约束的变化都将改变交易费用，并能产生出力量来推动新惯例或规范的演化，从而有效地解决新出现的问题(Ellickson, forthcoming)。在正式规则发生变化后，一个新的非正式均衡将逐渐地演化出来。[1]然而，有时正式规则的发展也会审慎地考虑到驱除或取代现存的非正式约束中那些不再能满足新演化出来的谈判结构的需要的部分。一般而言，演化而成的、作为正式规则之补充的规范(非正式约束)在稳定时期将持续存在，而在变化时期，则会被新的正式规则推翻。因此，1974 年美国众议院(House of Representatives)有关委员会的《权利法案》(Bill of Right)引发了一个正式规则的剧变，先前的非正式委员会结构被取代了。这一变化反映了政党力量在立法领域内的衰落以及持不同纲领的新自由派民主党人数的大幅度增加。先前的委员会主要由保守的南方民主党人(Southern Democrats)把持，但日益减少的党员人数使得他们不再有可能实现他们的目标(见 Shepsle，1989)。

实施的变迁同样为组织的企业家提供了赢利的新渠道，而这又反过来改变着制度变迁的方向。19 世纪美国土地法的历史就是一个最好的例子。一系列的变化——包括特定的处置规则(面积、信用期限、价格，以及附带条件)、可赢利机会(由交通、人口、技术和资源引致)、联邦政府投入于实施的少量资源(尽管时有变化)——使得众多个人、集团与组织跃跃欲试地想要抓住由土地带来的收益。通常，在实施存在疏漏的情况下，规避法律是一个成功的策略。地产公司、非法占地者(squatters)、索赔团体(claim clubs)、锯材公司、铁路公司、矿业公司以及畜牧协会等，都型塑着美国的土地处置以及联邦政府将对此作出的反应。[2]例如，独立战争(Revolutionary War)以后，非法占地者依据传统，可以在他们已占得的土地上安顿，国家也给予了他们优先购买的权利(preemption right)。但当联邦政府在 1790 年代接管土地处置权后，这一办法非但没有延续下来，占地者还被搞得无家可归。这一长期的拔河较量(tug of war)引发了各种不连续的政策以及广泛的规避行为，这包括 1799—1830 年期间 20 多项有关在特定地区允许非法占地者优先购买土地的国会法令。最终,在1830年,一个普遍适用的优先购买权法案被通过了。在1841年,这一法案成为了一个永久性的法案。[③]

Ⅲ

战争、革命、征服以及自然灾害都会导致不连续的制度变迁,这将是本章下一节的主题。但是,关于制度变迁的最重要论点是——若想研究这个主题,就必须掌握——绝大多数的制度变迁都是渐进的。因此,当我们考虑封建制与庄园制的终止时,我们可以观察到一个框架的渐进的重构。在其中,正式与非正式约束以及实施特征之间的内在联系经历了几个世纪的演化。地主与农奴之间的合约体现出了地主对农奴的绝对优势。但14世纪由于人口缩减而导致的变化改变了农奴的机会,增加了他们的谈判力量。这使得地主与农奴之间的传统合约逐渐走向终结。同时,这还导致了土地所有权(copyhold)以及对土地的地产绝对保有权(fee simple)的出现。改变封建结构的诸种变迁与其他方面的变化(如作战技术)长时间地交织在一起。庄园的习俗被侵蚀,正式的法律也发生了变化[如遗嘱法(the Statute of Wills)]。这里的要点是:变化是由地主与农奴间的合约的无数次具体的微小的变化累积而成的,这些微小变化在整体上构成了根本性的制度变迁。

Ⅳ

所谓不连续的变迁,我指的是正式规则的剧烈变动。通常,这是征服与革命的结果。在此,我无意于给出一个有关革命的理论,关于这个主题的文献已经很多了。[④]但依据本书已经得出的理论框架,下面的这些观点倒也和这个主题相关。[⑤]

(1) 渐进性变迁是指交换双方重新建立合同来获取一些潜在的贸易收益(起码是对交换一方而言)。这种合同的重建范围很广,从最简单的形式,直到如斯科泊尔(Skocpol)所称的政治革命,即重构政治制度来解决全面瘫痪型危机(gridlock crisis)。连续渐进性变迁的关键因素,是一个能使交换双方的新一轮谈判与妥协成为可能的制度环境。政治制度(正式的和非正式的)能为演化性变迁提供适宜的框架。如果这种制度框架尚未演化完成,则交换双方就可能缺少一个解决争端的框架,交换的潜在收益也无法实现。这样,企业家(如前文所述)也许会尝试建立一个集团联盟,通过罢工、暴力或其他一些手段来打破僵局。

(2) 妥协性的解决方案的无法达成,不仅是由于调解制度的缺乏,还由于企业家的谈判自由的有限以及他们对选民集团的忠诚。这样,冲突双方真实的选择集合可能根本没有交集,从而即使解决争议意味着大量的潜在收益,企业家有限的谈判自由以及制度协助的缺乏仍将使这一结果无法达到。

(3) 由于争执的任何一方都不可能单凭自身的力量就赢得胜利,因此他们必须结成联盟来与其他利益集团抗衡。但事实上,即便是一场成功的革命,其最终结果通常也是很不确定的,因为联盟内部的冲突——如何重构规则,进而如何分配报酬——将带来更多的冲突。

(4) 暴力行动要想取得广泛的支持,就必须依靠意识形态上的执着来克服搭便车问题(North,1981,第 5 章)。参与者的意识形态信念越强烈,他们愿意付出的代价就越大,从而革命就越有可能成功。

(5) 这种不连续变迁与不连续的演化变迁[人口理论中将其概括为点断性均衡(punctuate equilibrium)]有一些共同的特征。其中最突出的特征是:它们很少像它们表面上看起来的那样不连续(或者像乌托邦式的革命构想)。不是那么不连续的部分原因是:使革命能取得成功所必须结成的联盟通常都比较短命。由意识形态上的异化以及共同的敌手所带来的胶合作用,会被意识形态差异的逐渐消融以及在报酬要求上的冲突所取代。一派或许能直接消灭另一派,但更有可能出现的,是一个艰难而吵闹不休的长期妥协共存状态。

此外，虽然意识形态上的执着是革命能获得广泛支持的必要条件，但通常这是很难持续的。一方面，当面对共同痛恨的压迫者时，个人可能会用财富和收入来换取一些其他价值，但当压迫者消失后，牺牲的代价就发生了改变。由于新的正式规则是建立在一个包含意识形态承诺（ideological commitment）的激励系统之上的，因此这些新的正式规则将逐渐毁坏，而那些更适宜的约束将重新恢复，这正如我们在当代社会主义经济体系中所看到的那样。

这里最重要的一点或许是：正式规则改变了，但非正式约束却没有。这样，非正式约束与新的正式规则之间就会产生一种持续的紧张关系，因为它们在许多方面都不能保持一致。非正式约束将逐渐演化成为原先的正式规则的延伸。用新的正式规则来排挤掉长期驻留的非正式约束，如前所述，或许是一种立竿见影的办法。这种变迁有时是可能的，特别是在所谓的“局部均衡的状态”（a partial equilibrium context）下。但这却忽略了构成非正式约束之基础的根深蒂固的文化继承因素。因此，尽管正式规则的“一揽子”变迁是有可能发生的，但与此同时，许多非正式约束仍然保持着强劲的生存韧性，因为它们仍然在解决着参与者之间的基本交换问题——不论是社会的、政治的，还是经济的。随着时间的推移，结果往往是：在两个方向上，所有的约束都将重构，继而产生出一个新的均衡，这种新均衡远不是那么的革命。

注　释

① 有关国会中这一过程的政治模型，参见 Shepsle and Weingast(1987)。

② Carstensen(1963)对大量这类文献的总结尽管年代久远，但仍然十分出色。

③ 参见 North and Rutten(1987)。

④ 参见 Skocpol(1979)，这是近期的一个富有思想的研究贡献。

⑤ 在温格斯特(Barry Weingast)和我正在进行的一项研究中，这一论点将得到阐释、扩展和说明。

11

制度变迁的路径

现在，我要来探讨一下社会的、政治的以及经济的变迁的两个根本问题。首先，随着时间的推移，是什么决定了社会、政治或经济的演化的不同模式？其次，我们该如何解释那些持续绩差的经济体的长期存在？

如果我们能对历史做足够深入的回顾，则模式分野问题就很容易得到解释。族群（bands）和部落（tribes）以各自不同的资源禀赋与自身能力，面对不一样的问题，又处于不一样的气候环境中。因此，面对全人类共同的生存问题，必然会出现不同的解决办法，这包括各种不同的语言、习俗、传统以及禁忌（taboos）。人们没有理由认为解决问题的办法应该是类同的，尽管我们有理由相信：随着时间的推移，当信息成本下降时，它们会逐渐趋同。然而，尽管经历了一万年的文明进程，尽管信息成本有了大幅度的下降，尽管新古典国际贸易模型认为它们将趋于合一，但是，经济体之间的反差仍然是那么的巨大。

这就牵涉到我的第二个问题：该如何来解释那些以

持续绩差为特征的社会以及经济体的长期驻存？自达尔文(Charles Darwin)以来，进化论极大地影响了我们对社会生存问题的理解；而自从阿尔钦(Armen Alchian)1950 年的文章的发表以来，进化论也被嵌入了经济学的文献之中。这种理论所意含的是：随着时间的推移，无效率的制度将被剔除，存活下来的都将是那些有效率的制度。这样，经济、政治和社会组织将能逐渐演化出更有效率的形式。

我在本书中用"效率"这一术语，是指一套现存的约束能带来经济成长的情况。特别是，那些能使交换双方从贸易中获得更多收益的制度，比之那些不能发挥这种潜力的制度，将获得更多的成长机会。向较成功的经济体的迁移，或是仿效这些经济体的制度，都能产生这种结果。让我们再次回到科斯定理(Coase theorem)：在零交易费用的世界里，那种能使总收入最大化的有效率的结果总能胜出。但由于交易费用并不为零，因而可以预计，绩效也将是不同的。不同的绩效反映了制度框架在降低交易费用以及转形成本方面的成效的不同。但是，为什么那些相对无效率的经济体能够长期驻存？是什么因素阻碍了它们去采用那些更有效率的经济体的制度的呢？

如若制度是存在于零交易费用的框架中的，那历史也就无足轻重了；相对价格或偏好的改变将立即导致制度的重构，从而作出有效率的调整，就如同我们在第 2 章中所描述的竞争模型那样。但倘若形成今天之制度的过程是相互关联的，并且还约束着未来的选择，那么，不仅历史是重要的，而且低水平的绩效也就能够长期驻存，不同的长期发展模式就产生了。

I

我将要来讨论一些与这类研究最接近而且很有趣的经济学文献。这些文献最初所关注的是技术的演化，但也可类推到其他许多问题上，包括——尽管基本上都只是暗含的——制度变迁。最先将经济史学家的注意力吸引到路径依赖这个问题上来的，是保罗·戴维(Paul David，1985)的文章《克利俄与键盘的经济学》(*Clio and the Economics of QWERTY*)*。在这篇论文中，戴维试图解释打字机键盘的奇特的字母排列是怎么被标准化并固定下来的，此外，到底发生了哪些偶然事件，才使得它即使面对着其他一些更有效率的安排方式时还依然能固定地保持下来。这类技术上的异常情况其实并不鲜见。窄轨铁路延续至今，交流电战胜直流电，汽油车淘汰了蒸汽车等，这些例子常常被用来说明这样一个奇怪的事实：技术的渐进性变迁——只要踏上了某个特定轨道——可能导致一种技术淘汰另一种技术，尽管人们最终可能会发现：这一技术路径或许比那个被抛弃的更没有效率。

布莱恩·阿瑟(W. Brian Arthur)最早提出这样的观点：微小的历史事件可能导致一种技术在与另一种技术竞争时胜出。[①]我按照他所设定的路线来详细阐述这一论点。让我们将两个相互竞争并且都能导致报酬递增的技术放在一起来考察。行为人将“干中学”原理分别运用到这两个单独的技术中，以一种类似于组织演化的方式(见第9章)来改进效率。每个行为人都能逐渐掌握解决问题和利用新技术与设备的更有效率的方式，但即便如此，我们还是不能预测到底哪一种技术最终会更有效率。因为，对这二者来说，报酬增加的速度尽管有差异，但报酬增加的比率却并不见得是恒定不变的。此外，一种技术的后续突破——参与者原先并不知道——也可能导致这种技术相对于另一种技术的垄断优势，因为报酬的递增从长期来看意味着只有一个赢家。简言之，一些微小的事件可能使一种技术比另一种技术更具优势。这样，这种技术就会脱颖而出并取得垄断地位，尽管，与被放弃的那种技术相比，一项成功的创新也可能会被证明是低劣的(或是走进了死胡同)。

* Clio：克利俄，希腊诸神中主管历史的女神；QWERTY：标准英文键盘。——译者注

阿瑟总结出四种自我强化机制：(1)巨大的启动或固定成本(large setup or fixed costs)，这意味着增加产量能降低单位成本；(2)学习效应(learning effects)，能改进产品，或在产品的受欢迎程度增加时能降低成本；(3)协调效应(coordination effects)，这有利于与其他采取类似行动的经济主体合作；以及(4)适应性期望(adaptive expectations)，产品在市场上受欢迎程度的增加，将能增强人们有关于该产品将更受欢迎的信念。[②]

这些自我强化机制所带来的结果，用阿瑟的话说，有下列四个特征：(1)多重均衡(multiple equilibria)——有多个解决办法，而结果不确定；(2)可能的无效率(possible inefficiencies)——一项本来更好的技术，由于运气不好，不能获得拥护而败北；(3)锁入(lock-in)——一种解决方案一旦达成，就很难再从中走出来；(4)路径依赖(path dependence)——一些微小事件的结果以及机会环境能决定结局，并且，结局一旦出现，便会产生一条特定的路径。

这种关于技术变迁的论点能被引伸到制度变迁上去吗？让我们来回顾一下它的假设条件：阿瑟讨论的是竞争市场的情况，在这个市场上，人们对最大化的机会作出反应；他分析的是相互间有竞争的技术，并且都必须是报酬递增的；事实上(尽管我不清楚阿瑟是否做了这样的区分)，技术与技术之间的竞争只是间接的，而运用竞争性技术的组织之间的竞争才是直接的。这个区分很重要，因为结果所反映的不仅是竞争性技术的特点，还可能反映组织能力(企业家之默会知识)上的差异。实际上，阿瑟最终所研究的是组织的决策，本书的制度模型亦是如此。

Ⅱ

有两种力量型塑了制度变迁的路径：报酬递增，以及以明显的交易费用为其特征的不完全市场。尽管阿瑟有关技术的故事与第一种力量在范围上是一致的，但不论是他还是戴维，都没有直接探讨这第二个力量。我在此将依次来讨论。

在制度的报酬不递增且市场完全竞争的世界里，制度是无足轻重的。如在第2章中所讨论的，如果行为人起初的模型不正确，那么据此而行的后果，或者是被淘汰，或者是：有效率的信息回馈系统将促使他们修正他们的模型。

但是，在报酬递增的情况下，制度就是重要的。事实上，阿瑟的四个自我强化机制在此都适用，尽管在特征上或许会有所不同。制度最初设立时的初始成本是巨大的，就像美国1787年制定宪法时的情况一样。对于那些为了获取由制度框架所提供的各种机会（如第9章所详细阐述的）而创立起来的组织来说，学习效应亦很显著。这些组织不断演化，以便获取由制度框架界定的各种机会。但与技术方面的情况一样，这并不意味着组织所获取的技能一定会使社会效率提高。协调效应能直接从与其他组织的契约中产生，也可间接地产生于对政治组织进行投资这样一些辅助性活动。更重要的是，正式规则将导致一系列非正式约束的产生。它们修正正式规则，并将正式规则延伸至各种具体的应用领域。适应性期望的产生，是由于建立在特定制度基础上的契约的受欢迎程度的增加能降低规则持久性方面的不确定性。简单地说，制度矩阵的内部依存网络产生了很大程度的报酬递增。

在报酬递增的情况下，制度是举足轻重的。它型塑了经济的长期路径，但只要在此制度下的市场是竞争的，甚至只要大致接近于零交易费用模型，那么，长期路径就是有效率的（就本书所界定的“效率”含义而言）。在合理的偏好假设下，不仅不同的路径不会出现，而且低绩效也不会长期驻存。但是，在市场是不完全的，信息回馈是断断续续的，并且交易费用十分显著的情况下，被不完美回馈与被意识形态修改了的行为人的主观模型就将型塑路径。这样，不仅不同的路径会出现，低绩效会长期驻存,而且行为人由历史过程得来的感知也将型塑他们的选择。在一个制度报酬递增的动态世界里,行为人的不完美的或笨拙的努力所反映出来的是:以现有的心智构念(mental constructs)——观念、理论和意识形态——来辨识复杂的环境是多么的困难。

让我们回到第10章中曾简要描述过的中世纪与近代西欧的制度演化那里。在14世纪,人口的急剧减少改变了农民相对于地主的谈判力量,并且导致了他们之间的隐性契约(the implicit contracts)的长期渐进性改变。要理解这些变化的情形,我们只有通过那些形成于历史过程中的交易费用以及双方在历史过程中形成的认知世界的模型。交易费用蕴涵在庄园的习俗中。而这些习俗在界定地主与农奴的关系方面经历了长时间的演化。在他们双方从历史中得来的认知世界的模型中,包含着一个以"主-奴"为特征的、不平等的身份关系。就连他们自己,也都没有想象过会有一种消除这种不平等关系的变化。故而,只有在这种历史关系的语境中,我们才能真正理解渐进性变迁。如果制度不具有报酬递增的特性,并且主观感知总是能与真实的模型相符,那么,或许行为人就能通过立即重构契约来获得一个更有效率的组合结果。但实际上,由于制度框架总受制于报酬递增条件,因此,如前所述,调整的过程是渐进的,并且这种调整是由正式的与非正式的约束以及实施的变动的缓慢演化构成的。同时,在这个特定的例子中,竞争的政治力量与双方有关身份的心智构念的缓慢变化结合在一起,创造出了一个更有效率的结果(包括农业与商业)。这就构成了《西方世界的兴起》(*The Rise of the Western World*)这一成功的故事。

当然,在经济史上,这仍然是个例外(参见第13章)。通观大部分的历史,行为人的经验与行为人的意识形态并未能结合在一起从而得出有效率的结果。在系统地考察无效率路径的存留的根源之前,我将先通过几个例子来阐明路径依赖的过程。

Ⅲ

普通法的演化，作为制度变迁的一种形式，对于理解总体的制度变迁是有帮助的。普通法以判例（precedent）为基础，它提供了连续性以及必要的可预见性，这对于签约双方降低不确定性是十分关键的。既往的裁决被深植于法律结构中，当涉及新问题（起码在以前没预见到）的新案件出现时，法律结构也相应地作出一些边际改变。而一经裁决，这些改变也就成为法律框架的一部分了。司法裁决反映了在法律框架的历史架构环境中的主观信息处理过程。倘若，或者事实上，普通法是有效率的——如当代许多法律与经济学家所断言的那样，那是因为竞争过程确实使司法人员改正了他们的模型。但如果司法决策者行动时所依据的不仅是不完全的信息，还包括他们的由主观与意识形态所限定的有关“世界该当如何”的观念，那么，上述的断言将无法成立。[3]不论我们怎样地去解释司法过程，那些提起诉讼的组织的有目的的活动必然连续而又渐进地改变着制度框架。

“西北法令”（Northwest Ordinance）这一特殊的法律的颁行，可以作为一个例证来说明在路径依赖以及报酬递增的自然结果中所包含着的历史连续性。这一法令对于美国的政治与经济发展亦十分重要。它于1787年由“大陆议会”（Continental Congress）通过，其时正适逢立宪会议在费城召开。这是第三个为了处理西部广阔土地的治理与开垦中存在着的大量问题而颁布的法令，它为将领地整合进入新国家提供了框架。对该法令进行一些描述，探究一下如下这些问题——各种规则是从何而来的？它们是如何结合在一起的？它们与路径依赖之间有怎样的联系？——都将十分有益。

西北法令很简单，也很简短。它提供了土地的继承以及绝对保有权（fee-simple ownership）的各种规则，建立了准州政府（territorial governments)的基本结构，提供了哪些领地可逐渐转为自治的机制。此外，它还制定了有关准州何时可被正式承认为州的条款。接着，便是一系列使领地的人权法案能够生效的条款(如:有关宗教自由、人身保护令、陪审团制度、保释、契约实施以及财产赔偿等的条款)。还有一些附加条款，包括善待印地安人、密西西比河及圣劳伦斯河(St. Lawrence)的自由通航、公债、土地处置以及西北领土(Northwest Territory)应被分为几个州，以及在领地内禁止使用奴隶(尽管还是许可归还逃跑的奴隶)的条款。

对于其中的大部分条款，我们很容易追溯到它们的来源。西北法令的起草者的主观模型可以直接追溯到英国式的、殖民思想的历史演化(Hughes，1987)。在此前150年的殖民时期，这些特定条款就已经是殖民地政治单位的规则的一部分了，包括继承法、地产绝对保有权，以及许多人权法案条款。然而，尽管条款是建立在先例基础之上的，其中的一些还是引起了争议，这是因为议员们已经预见到其所代表的组织(在这里是各个州)将会受到某些条款(例如有关新州面积及其被承认条件的条款)的影响。先例援引自原有的章程以及联邦条款(Articles of Confederation)，但争议之所以出现，是由于承认领地为州的条件将严重地影响现有各州的相对权力和谈判能力。这些规定中的一条:“禁止蓄奴”，显然是西北法令的制定者与宪法的起草者之间选票交易的结果。西北法令中的“禁止蓄奴”的规定，交换来了在宪法中奴隶可按3/5个人来计算的条款，而这势必会增加南方蓄奴各州在国会中的代表人数(当时的一个主要议题)。

西北法令所提供的框架主导了美国在下一个世纪的扩张模式。尽管其条款有时会因为新的议题或争议而修改，但它却提供了一个清楚的制度演化的路径依赖模式。报酬递增特征的产生是由于:产权结构、继承法以及各领地的政治决策规则全都衍生自法案，而这反过来又繁衍出了那些能导致法案的边际变化的组织和(政治的和经济的)企业家。事实上，法案最成功的地方反映在西部各领地及各州影响力的上升上，以及他们通过其代表从自身利益出发修改土地政策的成功努力（North and Rutten，1987）。因此，只有将美国土地史视为一个涉及制度框架与其派生组织之间的互动的渐进性制度变迁过程，我们才能真正理解这部历史。

上述这个故事看起来似乎是一个“命中注定”且不可避免的过程，但其实并不是这样。在这个过程中的每一步上，都存在着不同的选择机会，无论是政治的还是经济的。路径依赖在概念上缩小了选择的范围，并且将不同时期的决策联结在了一起。这并不是一个结局前定的故事——在其中，过去总是准确地预示着未来。在上述这个简短的故事中，尽管法案的各个片断部分地衍生自殖民章程，但最终的法案却有了显著的变化。这是由下列这些事件导致的：(1)各州在有关领地加入条件（将决定现有各州其后的谈判地位）上的冲突；(2)在奴隶问题上的南一北分歧意见，以及(3)同时在费城召开的立宪会议。

现在，我们可以将制度的渐进性变迁的路径依赖特征，与持续成长或持续衰退模式的长期驻存结合到一起来分析了。发展路径一旦被设定在一个特定的进程（course）上，网络外部性（network externalities）、组织的学习过程，以及得自于历史的主观模型，就将强化这一进程。就经济成长而言，如第9章所述，一条有适应性效率的路径能使在不确定性条件下的选择最大化，能为人们尝试使用不同的行事方式留出空间，能帮助形成一个有效率的回馈机制，以鉴别出那些相对无效率的选择并淘汰之。请注意，西北法令不仅带来了有适应性效率的经济发展——通过地产绝对保有权以及一个明晰的继承系统，它们使土地的转让有可能在低交易费用的情况下完成，它还带来了一个有效率的政府系统，这使得领地并入全国政府的政治交易费用降低。事实上，毫不夸张地说，尽管在19世纪也有一些具体的、后续的土地法案表现得毫无效率，但西北法令的基本条款通过便利土地的转让，为这些问题提供了一种相对有效率的解决途径，这样，不论我们后来的土地分配计划是多么的不恰当，西北法令都在相当程度上降低了由这些计划而带来的成本。

不过,那些非生产性的路径也以同样的方式得以驻存。初始的抑制生产性活动的制度的报酬递增特性,会创造出一些在现有约束范围内进行竞争的组织和利益集团。他们将从自身利益出发来型塑政治体系。这类制度提供的激励有可能导致军事力量凌驾于政治与经济之上,或产生宗教狂热,或催生简单的、直接的再分配组织,而它们却很少奖励那些增长与传播对经济有用的知识的行为。参与者的主观的心智构念将演化出一种意识形态。这种意识形态不仅能为社会结构辩护,还能为其低绩效找到理由。这样,经济体系将演化出一个强化现存激励与组织的政治体系。因此,无论是"拉丁美洲经济调查团"(Economic Commission of Latin America,ECLA)的报告,还是依赖理论(dependency theory),都将拉美经济的低绩效归结到与工业国家进行贸易的国际条件以及其他一些外部条件上。这种解释不仅将拉丁美洲的经济结构合理化了,还包含着一种强化其现存制度框架的政策含义。

由于所有经济体系的制度框架都能同时为组织创造生产性的和非生产性的机会,因而,任何一个经济体的历史都表现为一些混合结果。回想一下:制度变迁的直接工具是政治的或经济的企业家,他们试图在那些看起来最能赢利的机会上实现最大化。不论最有前景的机会是投资于盗版业、组建石油卡特尔,还是开发出一个具有更高级功能的电脑芯片,都无非是现存的约束和激励的变化在决定着机会。还要注意的是,行为人——即企业家——不仅受到现存制度所提供的选择的约束,还拥有与实现其目标相关的不完美知识。这样,即使——尽管这很值得怀疑——他们的目标恰好与生产能力递增的方向一致,那也不一定能保证其目标的实现,无法预知的后果也可能导致十分不同的结局(例如,一项技术的突破可能使产权更没有保障了,或反而增加了恐怖分子的回报)。事实上,企业家短期的利润最大化努力可能导致对持续无效率活动的追逐(在制度约束既定的情况下),或者,即便他们追逐的是生产性活动,也有可能出现无法预料的后果(当然,情况也可能正好反过来，比如，海盗最后可能会发现：定居与从事贸易活动似乎更加有利可图，事实上，北欧海盗（Vikings）就是一个例子）。

但是，那种认为成功的路径会因为一些微小的事件或错误而逆转的观点也是错误的，反过来也是一样。回想一下，制度矩阵（由各种独立的规则以及非正式约束组成的复杂结构）的报酬递增实质在总体上决定着经济绩效。个人，以及正式或非正式约束的特定变化，当然有可能改变历史，但在绝大多数情况下，不会逆转其方向。对美国土地政策的简要叙述使我们明白：尽管某些具体的法案可能是无效率的，但整个制度框架（不仅是西北法令，还包括此前的两个法令和包含在美国宪法中的辅助条款，还包括演化出来的那些非正式约束）减弱了这些法案的无效率后果。

路径依赖意味着历史是重要的。不去追溯制度的渐进性演化过程，我们就无法理解今日的选择（以及界定其在解释经济绩效的模型中的地位）。当然，对于探寻路径依赖的含义这一严肃的任务来说，我们才刚刚起步。

Ⅳ

为什么同样的相对价格的根本性变化，会对两个不同的社会产生不同的影响？答案现在应该是明确的了。在每一个社会，相对价格变化都会产生出边际上的适应性调整，调整的部分是那些需要得到解决的直接的问题，而采取何种解决办法，则取决于参与者（那些与特定的总体制度环境相关的组织）的相对谈判力量。不过请注意：这只是一个边际调整，而且是建立在先前的制度安排的基础之上的。由于在不同的社会中，各集团的谈判力量明显不同，因而在各个社会中的边际调整通常也是不同的。此外，不同的历史以及不完美的结果回馈机制，也使得行为人的主观模型各不相同，其作出的政策选择因而必是不同的。

如此种种情况，使得边际调整自然不会趋于一致。

如果将一套相同的规则加诸于两个不同的社会，那又会怎样呢？我将通过历史上的一个例子来说明。在19世纪，美国的宪法曾被许多拉丁美洲国家引入（经过了一些修改），成功的西方国家的产权法也被一些第三世界国家引进使用。但其实施效果却与在美国或其他成功的西方国家里完全不同。尽管规则还是那些规则，但实施机制、实施发生的方式以及行为规范，还包括行为人的主观模型，却都是不同的。因而，实际的激励结构以及被感知到的政策效果，也就都不相同了。这样，一系列相同的相对价格的根本改变，或一套同样的规则的实施，在有不同制度安排的社会里所导致的结果就都是不同的了。

V

本章研究的重点是：由连续的边际调整导致的逐渐的制度变迁。我这里之所以强调这种类型的变迁，是特意而为的。因为，这是社会和经济体演化的主要方式。不过，我在前文中也曾简要论及，由征服和革命所导致的不连续的制度变迁也是重要的。但这种制度的不连续恰好支持了我的论点。因为，在游戏的正式规则发生剧烈变化的时候，制度约束所表现出来的顽强的生存能力，正是制度框架所具有的报酬递增特性的最好证据。比如18世纪及19世纪早期席卷南美与北美的那些脱离英国和西班牙的独立革命运动，北美与拉美的演化从一开始就是截然不同的，这反映了母国在殖民地所强加的制度模式的不同，以及型塑行为人感知的意识形态构架上的巨大差异。

在北美，英国殖民地初建之时，议会（Parliament）与王室（Crown）之间的斗争正处于白热化状态。母国的宗教与政治分歧也被带到殖民地并在18世纪那些深刻阐述的观点与模型中体现出来。尽管，人们在王室的政治结构、所有权以及殖民地章程等方面有着很多分歧，但在地方政治控制以及州众议院的成长等总的发展方向上，则是清楚的，是没有疑意的。同样，通航法案也将殖民地置于不列颠帝国的整体政策框架内。在这个广阔的框架中，殖民地居民可以自由地发展他们自己的经济。事实上，殖民地居民自己对于产权的限制，有时还更甚于母国。

在美国历史上，法印战争（French and Indian War，1756—1763年）* 是一个众所周知的转折点。英国想对殖民地开征一项非常温和的税，并借机抑制一下西向移民，但这引起激烈的反应。许多殖民地居民的主观感受是：不列颠的通航法案威胁了殖民地的繁荣。事实上，通航法案的负担可以忽略不计，并且可以合理地假设：像加拿大一样，若殖民地仍归属于不列颠，最终也会繁荣的。但殖民地居民的感受是不同的。他们依据这样的感知行动，通过个人与组织采取的各个步骤，走向了独立战争、独立宣言（Declaration of Independence）、联邦条款、西北法令以及宪法，这一系列的制度表述构成了一个统一的演化制度模式。尽管革命造就了美国，但我们只有从那些由革命前迁延来的非正式约束——事实上还包括许多正式约束——的连续性角度，才能真正理解其革命后的历史。

对于西班牙土著（Spanish Indies）来说，征服发生之时正是卡斯蒂

* 1757—1763 年间发生在北美历史上的一场著名战争，又叫“七年战争”。战争的双方并不是法国殖民者和印第安之间的战争，而是英国人（联合一部分印第安人）对法国殖民者和一部分印第安人就争夺北美原来一些印第安领土而发生的战争。绝大多数法印战争都是发生在与加拿大交界的纽约州地区的两湖附近。这场战争的结果实际引发了美国后来的独立战争和建国。原因是，尽管战争的起因是英国殖民者为维护他们在北美洲殖民地的权益和与法国人争夺印第安原属的土地而发生的，并在战争中最终获胜，但却欠下沉重的战争债务。之后，英国殖民者试图以征收新税（印花税）来解决债务问题，从而引发了北美殖民地人民的不满。殖民地居民以“无代表权不交税”作为号召，团结起来抗击英国的殖民政策，并在波士顿茶会（Boston Tea Party）期间把含有咖啡因的货物抛入大海，从而引发了美国的独立战争。——译者注

利亚议会(Castilian Cortes)的影响日渐衰弱之际。征服者在业已存在的农业社会(特别是在墨西哥与秘鲁高地,当时农业社会已相当发达)中推行单一的宗教与统一的官僚行政。官僚机构详细规定了政治和经济政策的方方面面(同样,在那些人口众多或富有的地区,比在游牧而空旷的地区,这些政策实行得要更为严格也更有效)。在代理问题以及官僚体制的控制上,危机一再发生。虽然在波旁(the Bourbons)时代曾出现过颠覆集中式官僚政策的努力,甚至一度还达到了在帝国内实现贸易自由化的程度,但这种颠覆只是局部性的,并且很快消亡。在那里,代理人的控制始终是一个挥之不去的问题。当克里奥人(Creoles)试图接管官僚机构以谋取私利时,这个问题就更严重了。独立战争(the War of Independence)看起来似乎是地方殖民势力与帝国势力为了控制官僚机构以及政治与经济权力而展开的争夺,但这种争夺实际上却充斥着根源于美国与法国革命的意识形态含意。结果,独立带来了有美国精神色彩的宪政,但其造成的后果却又是截然不同的。

在美国,宪法蕴含了原先的英国、后来的殖民地的连续的政治经济政策遗产,同时还辅之以一致的意识形态观念。在拉丁美洲,一套异国的规则被强加于了长期集权式的官僚统治传统以及与之相伴随的意识形态观念(perceptions)之上。结果,在独立的最初几年,拉丁美洲的联邦计划与分权努力都宣告了破产。在 19 世纪和 20 世纪,拉美国家一个接一个地走回官僚集中控制的老路上。西班牙和葡萄牙曾采用过的制度模式一直深深地影响着拉丁美洲的政策与观念的演化,并使得这一地区的历史与其他地区完全不同,尽管在独立后,他们也采用了类似于英国的制度传统并型塑了北美的路径的那一套规则。[④]

Ⅵ

技术变迁与制度变迁是社会与经济演化的关键,这二者都呈现出路径依赖的特征。那么,是否有一个模型可以同时解释技术与制度的变迁呢?它们的确有许多相似的地方。报酬递增是这二者的基本要素。但行为人的观念在制度中所发挥的作用,要比其在技术变迁中所发挥的作用更为重要,因为意识形态信念影响着决定选择的主观构念模型。由于正式与非正式约束之间有着复杂的相互联系,因而处于制度环境中的选择是复杂的。这样,锁入与路径依赖特征在制度上要比在技术上表现得更为复杂。政治与经济之间的互动,众多在影响制度变迁方面有不同谈判力量的行为人,以及导致许多非正式约束得以驻存的文化传统,都加剧了这种复杂性。

我将通过强调本研究的某些含义来总结本章。长期的经济变迁是政治或经济的企业家的无数短期决策的累积性结果,这些决策直接地或间接地(通过外部效应)型塑了绩效。选择反映了企业家关于环境的主观模型。因此,结果与意向(intentions)的相符程度反映了企业家的模型与真实模型的接近程度。由于模型反映了观念、意识形态和信仰,而这只能(至多)部分地由反映政策实际实施效果的信息回馈机制提炼或改进,因而特定政策的效果不仅是不确定的,而且在很大程度上是不可预测的。即便对政治和经济选择做最随意的考察—通观历史与现今——也可以清楚地看到意向与结果之间的巨大差距。但是,制度矩阵(institutional matrix)的报酬递增特征以及参与者的辅助性主观模型提示我们,虽然特定的短期路径是不可预测的,但长期的、总的方向则不仅是可预见的,还是难以逆转的。

注 释

① 有关 Arthur 的观点的简短概述以及对其大量研究的总结,可参见 Arthur,1988,“Self-Reinforcing Mechanisms in Economics”,载于 *The Economy as an Evolving Complex System*。

② Arthur(1988),第 10 页。

③ 在《不完美决策与法律:法律先例与规则的演化》(Imperfect Decisions

and the Law：On the Evolution of Legal Precedent and Rules）一文中，Heiner（1986）在分析普通法的演化时得出了这样强有力的观点：当行为人需要对越来越多的为他们所不熟悉的"非地方性"（non-local，Heiner 的术语）信息来做解释时，他们的司法审判过程就是不完备的。这样，法律先例便成为法官可以遵循的相对简单的标准。这一结论与许多法律与经济学研究所认为的普通法能导致有效率的结果，形成强烈的反差。

④ 有关拉美历史的总结，可参见 C. Veliz（1980）的《拉丁美洲的集权主义传统》（*The Centralist Tradition in Latin America*），或 W. P. Glade（1969）的《拉丁美洲经济：一个制度演化研究》（*The Latin American Economies：A Study of Their Institutional Evolution*）。

第 3 篇

经济绩效

12

制度、经济理论与经济绩效

我们无法看见、感觉、触摸，甚至是衡量制度，它们是人类的心智构念(constructs of the human mind)。然而，即使是最虔诚的新古典经济学家，也承认它们的存在，并通常(直接地或暗含地)将其设定为他们模型中的参数。制度重要吗？关税、管制和规则重要吗？政府能有所作为吗？当我们穿越美国与墨西哥的边界的时候，我们能解释那种经济福利的巨大落差吗？是什么导致了市场的有效与无效？诚实在交换中到底有无作用或是否值得做？我希望，前文的分析已经为厘清制度的效果问题提供了一个有说服力的框架。

然而，我还想在此断言的是：制度在社会中具有更为基础性的作用，它们是决定长期经济绩效的根本因素。如果我们要构建一个有关变迁的动态的理论——这是主流经济学所忽略的，而马克思理论对此的研究也很不完善，那这一理论就必须是建立在制度变迁模型的基础之上。虽然我们还未能完全解答这个问题，但我相信，研究方向的大致轮廓应该是清楚的。

在以下各节，我将(1)厘清新古典理论需要在哪些方面做些改变，才能将制度分析纳入到其理论中去；(2)概述对于经济绩效的静态分析来说，这又意味着什么；以及(3)探究对于构建长期经济变迁的动态理论来说，制度分析又意味着什么。

I

由交易费用决定的行为人对信息的处理过程，是制度形成(the formation of institution)的基础。但问题在于，是何种意义上的理性以及交易的何种特征，才使得行为人无法共同实现那种零交易费用模型中的最大化的？

新古典理论的工具理性(instrumental rationality)式的基本假设认为：行为人拥有必要的信息，能正确地评估各种备选方案，因而能作出选择来达到他们想要的目的。事实上，这种假设所暗含的是：存在着一套特别的制度与信息。如果制度的作用纯粹是被动的，它们不能约束行为人的选择，并且行为人拥有作出正确选择所必需的信息，那么工具理性假设就是一个正确的基石。但另一方面，如果行为人拥有的信息是不完全的，他们凭借他们的主观模型来引导选择，即使通过信息回馈也只能极不完善地更正他们的模型，那么，程序理性(procedural rationality)的基本假设(如第3章所述)才是发展理论的根本基石。

工具理性假设是在西方世界高度发达的、有效率的市场背景下演化出来的，并且，它在分析这类问题时成为了一个有用的工具。但是，这类市场是以很低或几乎可以忽略不计的交易费用这个例外条件为其特征的。我认为用这样的行为假设完全无法分析当代以及历史上的大多数市场。而在另一方面，程序理性假设不仅可以解释从古到今大多数的不完全与不完美的市场，还能引导研究者们去探究这类关键性的问题：到底是什么导致了市场的不完美？这，又将我们引到交易费用这里。

之所以会有交易费用，是因为信息是有成本的，以及信息在交换双方的分布是不对称的。另外，因为无论行为人发展出怎样的制度去规制人类的互动，其在一定程度上都会导致市场的不完美。事实上，制度的激励效应给参与者提供的是混合的信号。因而，即便是在制度框架鼓励获取更多的贸易收益的情况下（与先前的制度框架相比），其对欺诈、搭便车等行为的激励也仍然存在。这些行为将会导致市场的不完全。在人类的行为特征既定的条件下，人们根本无法设计出既能解决复杂的交换问题又能避免一些不相容的激励（incompatible incentives）的制度。因此，近期相当多的产业组织与政治经济学文献都试图抓住一些存在于经济与政治组织中的激励不相容问题[见 Miller 即将出版的：《管理困境：科层的政治经济学》（*Managerial Dilemmas: The Political Economy of Hierarchies*）]。经济史上的那些成功案例通常描述的是：制度创新带来交易费用的下降，人们因而获取了更多的贸易收益，进而市场得到了扩张。但是，绝大多数此类创新却并没有创造出新古典模型中所谓的有效率市场所必需的条件。政治体系界定并实施着经济市场的产权，故而，政治市场的特征才是理解市场不完美问题的关键。

怎样才能使政治市场接近有效率的经济交换所要求的那种零交易费用模型呢？条件似不难给出。立法机关应该颁行那些能增加总和收入的法令，在其中，获益者补偿受损者的交易费用要足够低。如此，补偿才能使双方都接受。实现这样的交换所必需的信息与制度条件如下：

(1) 受法案影响的各方必须拥有信息并能纠正模型，以便确知法案对他们的影响以及由此导致的获益或亏损的数目。

(2) 结果应能传递给他们的代理人（议员），代理人也将据此忠诚地投票。

(3) 投票将根据总和的净收益或净损失来权衡。这样，结果的净值将是确定的,受损者将得到合适的补偿。

(4) 完成交换所需要的交易费用应是足够低的。这样,双方才都认为值得进行这样交换。

最能接近于这些条件的制度结构是有普选权(universal suffrage)的现代民主社会。选票交易、互送选票,以及激励竞选对手在选民面前公开在位者的缺失从而减轻代理问题,等等,都有助于获得一个较好的结果。

但是,来看一下这个系统所固有的抑制性因素吧。"理性投票者的无知"(rational voter ignorance)并不只是一个在公共选择文献中才有的时髦术语。不仅投票人有可能无法获得信息,以至于对大量影响其福利的法案都没有哪怕是最模糊的了解,甚至是,选民(甚或议员)都无法拥有能准确地衡量结果的模型。代理理论提供了大量的——或许还带有些争议——证据说明议员独立于选民利益而行动的程度。议员根据其感知到的可能获得或失去的选票数目来进行投票交易,但通常,那将与反映全体选民的净收益或净损失这一目标相距甚远。加之,补偿受损者的激励又怎么会出现呢?正如大量现代政治经济学所要证明的:较好的(better)结果与有效率的(efficient,新古典意义上的)结果之间,相差何其大哉。就我的研究目的而言,对下面这两个逐渐显现出来的基本条件进行强调是十分必要的。一是,相关各方必须拥有信息和正确的模型,以使他们能准确地评估结果;二是,相关各方要有平等的参与决策过程的权利。即使是历史上那些最有利于形成有效率的政治决策的制度框架,也无法近似地满足这两个条件。

政治机构(polities)制定并实施经济规则,因而产权极少有效率就不奇怪了(North,1981)。但是,就算是能设计出有效率的产权,其监督或实施的成本通常还是很高的。这反映了其内置的抑制因素,或至少在交换的某些方面还存在着对违约、逃避义务、偷盗或欺诈等行为的诱惑。在许多情况下,非正式约束将演化出来以减轻这些抑制性因素的不良后果。现代西方世界存在着的大量证据可以证明:市场能够有效地运转，它们甚至可以接近于新古典理想。但这只是特例，且来之不易，其对制度有着十分严格的要求。

Ⅱ

制度对于当代经济分析的重要性可概括如下：

(1) 特定的制度约束格局有特定的经济（和政治）模型。这些模型随时期的不同、经济体的不同而有巨大变化。模型带有制度特征，并且通常对制度约束的变化有很高的敏感性。自觉地认识这些约束，无论是对于改进理论建构，还是对于公共政策问题，都十分重要。其涉及的不仅是模型能否在孟加拉国或 19 世纪的美国获得成功的问题，而且更直接地涉及模型能否在另一个发达国家适用，比如日本甚至是明年的美国。

更重要的是，特定的制度约束规定了组织运作的范围，从而使博弈规则与行为人的行为之间的互动变得更容易理解。如果组织——例如厂商、工会、农民集团、政党以及国会委员会——致力于非生产性的活动，那么，正是制度约束为这些活动提供了激励结构。第三世界国家之所以贫穷，是因为由制度约束界定的对政治或经济活动的一系列回报并不鼓励生产性活动。社会主义经济体系刚开始意识到：其基础性的制度框架是导致它们目前的低绩效的根源。它们正试图重构其制度框架以扭转激励的方向，这反过来又将引导组织走向生产能力递增的路径。对于第一世界来说，我们不仅需要意识到影响经济成长的整体制度框架的重要性，还必须对一直不断进行着的边际变化的后果——不仅反映在整体绩效上，还反映在具体的经济部门上——有自觉的认识。我们早就意识到税制结构、管制、司法判决，以及成文法——这里只提及这几个正式约束——型塑了厂商、工会以及其他组织的政策，从而决定了特定层面上的经济绩效，然而这种认识却并未使经济学对产生这些结果的政治或经济过程做专门的模型化研究。

(2) 自觉地纳入制度因素,将迫使所有的社会科学家,尤其是经济学家,去追问构成其学科之基础的行为模型,进而去探究——比以往所做的更加系统——信息的成本以及其不完美的处理过程对于行为人的行为的含意。社会科学家已经将信息的成本纳入到了他们的模型中,但还没有着手把握主观心智构念——个人以这种心智构念来处理信息并得出型塑其选择的结论。在经济学中有一个(多半是)暗含的假设:行为人能正确地识别那些使他们处于困境的原因(即,有真实的理论),也知道备选方案的成本与收益,还知道如何见机行事(参见,Becker,1983)。先入为主的理性选择与效率市场假设蒙蔽了我们,使我们无法认识到不完全信息的含义、环境的复杂性,以及个人所持有的对外部世界的主观感知。只要我们能正确地认识人类动机的复杂性以及那些在信息处理过程中出现的问题,理性行为人范式就不是那么无药可救了。这样,社会科学家就不仅能理解制度为什么存在,还能理解它们是怎样影响结果的。

(3) 观念和意识形态是重要的。而制度在决定其重要的程度方面发挥着主要作用。观念与意识形态型塑了个人用以解释周围世界并作出选择的主观心智构念。此外,通过以特定的方式为人类的互动提供结构,正式制度影响着我们为自身的行动而需要付出的代价,而当——刻意地,或只是碰巧——正式的制度结构使人们可以用较低的成本来表达他们的观念时,它们就为人们提供了将自己的观念和意识形态纳入到选择中去的自由。正式制度的一个主要结果是机制,如民主的投票系统,或科层的组织结构。它们使身为代理人的个人能表达他们自己的看法,并且,不同于大多数经济学和公共选择理论中的简单利益集团模型所暗含的,他们对结果能造成完全不同的影响。

(4) 政治与经济之间极为复杂的内在联系,是我们理解任何一种经济绩效时都要考虑的,因此,我们必须发展出一个真正的政治经济学。制度约束界定了政治与经济之间的交换关系,从而决定了政治一经济系统的运行方式。政治不仅界定并实施着型塑一个经济体系基本激励结构的产权，而且在当今世界，政府在国民生产总值中的份额，以及政府无处不在的、时刻在变的管制，都是影响经济绩效的最关键因素。一个经济的宏观模型甚至微观模型要想有用，就必须将制度约束纳入到模型中去。例如，现代宏观经济理论将永远无法解决其所遇到的问题，除非宏观经济学家们能意识到：政治过程的决策严重地影响着经济的运行。虽然在这个特定的层面，我们已经开始意识到了这个问题，但政治学与经济学还需要更多的融合。要做到这一点，就必须在有关政治—经济的模型中纳入所涉及的特定的制度，以及由此而产生的政治与经济交换的结构。

Ⅲ

要将制度分析整合进静态的新古典理论，就必须修改现有的理论体系。但要创建一个经济变迁的模型，则需要构建整个的理论框架，因为迄今为止还没有过这样的模型。路径依赖是分析和理解长期经济变迁的关键。这种方法的潜力在于：它不仅延伸了新古典理论中最有建设性的基石——稀缺——竞争——的基本假设，以及作为一种驱动力量的激励，还通过引入不完全信息、关于现实的主观模型以及制度的报酬递增等，对这种理论做了修改。因而，这种方法或许能将微观层次的经济活动与制度框架所提供的宏观层次的激励联系起来。渐进性变迁的源泉是组织及其企业家通过获得那些能促进其目标的技能、知识与信息而可能取得的收益。路径依赖来源于一旦走上某个特定路径就能强化这一方向的报酬递增机制。路径的改变是由于未能预计到的选择的后果、外部效应，以及一些分析框架之外的力量。路径的扭转（从停滞到增长，或从增长到停滞）可能来自于上述那些导致路径改变的原因，但通常是来源于政治体系的改变。

本章将通过检视第 11 章中曾讨论过的英国一北美路径和西班牙一拉美路径之间的反差，来进一步论述路径依赖的相继特征。

背景

在 16 世纪初，英国与西班牙的演化就十分不同。在被诺曼人(Norman)征服后，英国形成了一个相对集权的封建制度。博斯沃思战役(Battle of Bosworth，1485)后建立起都铎王朝(Tudors)。与此相对应的是，西班牙是在摩尔人(Moorish)统治伊比利亚半岛(Iberian Peninsula)7 个世纪后才崛起的。它当时还不是一个统一的国家。虽然费迪南德(Ferdinand)与伊莎贝拉(Isabella)的婚姻将卡斯提尔(Castile)与阿拉贡(Aragon)联合了起来，但它们依然保持着各自的规则、议会(Cortes)与政策。

然而，英国与西班牙，以及其他正在崛起的欧洲国家，都面对着一个同样严峻的问题：在战争开支不断增加的情况下，要取得额外的财政收入才能维持生存。传统上，国王都有自己的收入，也就是说，是从自己的不动产和传统的封地中得来的。但这些资源在面对采用十字弓、长弓、长枪以及火药等新军事技术的需求时，就显得不够充足了。国家的财政危机(最早由熊彼特在 1954 年提出)使统治者不得不与选民谈判。其结果是，两个国家都在选民这边发展出了某种形式的代议制(英国的议会与西班牙议会)，而在国家那边则取得了收入。在两个国家，羊毛贸易都成为了王室收入的主要来源。但是，由新军事技术引起的同样的相对价格变化在两国所导致的后果却是截然不同的。在一个国家，相对价格变化引发了政治与经济体系的演化，解决了财政危机，并使其逐渐凌驾于整个西方世界之上。而在另一个国家，尽管初始条件更为优越，但相对价格变化带来的却是无法解决的财政危机、破产、资产充公、无保障的产权，以及长达 3 个世纪的相对停滞。

在英国，统治者与选民[兰尼米德(Runnymede)男爵也许会认为这个术语并不太恰当]之间的紧张关系随着 1215 年的《大宪章》(Magna

Carta)的制订而逐渐浮出了水面。接着，财政危机在百年战争(Hundred Years War)期间也出现了。Stubbs对结果有这样的描述："承认议会有立法权，有质询滥用权力行为的权利，并有权参与指导全国性政策。而这些权力实际上是花钱从爱德华一世(Edward I)和爱德华三世(Edward III)那里买来的。"(Stubbs，1896，第599页)这以后直到1689年间的历史，以及议会的最终胜利，则是为人们所熟知的。

在西班牙，阿拉贡[大致包括瓦伦西亚(Valencia)、阿拉贡(Aragon)和加泰罗尼亚(Catalonia)]与卡斯提尔的联合，将两个十分不同的地区合在了一起。阿拉贡在13世纪下半叶从阿拉伯人手中夺回，那时已经是一个覆盖撒丁岛(Sardinia)、西西里(Sicily)，以及希腊部分地区的重要的商业帝国了。议会反映着商人的利益，并在公共事务中发挥着重要作用。与此形成对照的是，卡斯提尔长年战争不断，不是与摩尔人开战，就是内部争斗，并且极少召开会议。在联合后的15年里，伊莎贝拉不仅成功地控制了好战不驯的男爵们，还控制了卡斯提尔的教会政策。虽然卡斯提尔议会的地位在近来的学术研究中被有所提升，但在卡斯提尔却存在着集权的君主政体和官僚。正是伊莎贝拉，决定了西班牙与拉丁美洲的制度演化。

制度框架

两个社会出现差别并不只是由于政治体系的集权或分权。但这一特征能导致关键性的差异，并且还是政治与经济体系之巨大差异的缩影。英国的议会不仅开启了代议制政府的先河，削弱了财政窘迫的斯图亚特(Stuart)王朝所盛行的寻租行为，而且，议会的胜利还预示着产权能有更多的保障，司法系统将更有效率且更公正无偏。

西班牙的政治体系由大量集权的官僚机构组成，它们"管理着不断增加的法令和司法指令，这不仅使行政机器日益合法化，还确立了其行动的方针"(Glade，1969，p. 58)。经济与政治的每一个细节都是为了促进王室的利益以建成自罗马以来最强大的帝国这个目的来安排的。但随着荷兰的反叛以及新大陆(New World)财富流入的减少,财政需求大大超出收入,不仅造成了破产、增税和对财产的没收,还造成了无保障的产权。

对组织的意义

在英国,议会创造出了英格兰银行(Bank of England)和一个将开支与税收收入联系在一起的财政系统。随之而来的金融革命不仅最终将政府放置在了一个健全的财务基础之上,还为私人资本市场的发展奠定了基础。更有保障的产权、对重商主义者(mercantilist)限制的减少、纺织品厂商从城市行会限制中的逃离,所有这些结合在一起,为厂商提供了一个在国内和国际市场扩张的机会。日益发展的市场和专利法鼓励了创新活动的成长。当然,所有这些甚至其他更多的成功故事,我们早就耳熟能详了。

在西班牙,1557—1647年间不断地发生破产事件,人们为了躲避灾难而采取的各种绝望办法,使得情况更加恶化。战争,教会,以及管理复杂的官僚系统,是西班牙主要的组织性机会,于是,在军队、教会以及司法界任职就能有不错的报酬。驱逐摩尔人和犹太人、限制地租和对小麦价格实行管制、没收汇给塞维利亚(Seville)商人的白银(补偿他们的是一种相对无价值的、称为 *juros* 的债券),所有这些无不是抑制生产性活动的表现。

路径依赖

为了使这两个简短但反差极大的故事能有力地说明路径依赖问题,我们有必要将每个社会的政治、经济与司法系统理解为一个相互联系的正式规则和非正式约束的网络。正式规则与非正式约束合在一起构成了制度矩阵,它将经济体引入了不同的路径。论证网络外部性也很必要,因为这种外部性限制了行为人的选择,阻止他们对制度框架做剧烈的改变。但这项工作所需要的证据大大超出现有的、我所熟悉的经验证据的范围，因而我只能间接地推断这些证据的含意。

在一项颇受争议的研究《英国个人主义的起源》(1978)(*The Origins of English Individualism*)中，艾伦·麦克法兰(Alan Macfarlane)提出：至少从13世纪开始，英国就已经与我们传统上所以为的那种小农社会(peasant societies)不同了。这些传统特征包括：族长式统治、大家庭、妇女地位的低下、连接紧密而又封闭的农民村落、自给自足、以家庭作为劳动单位。所有这些特征到13世纪都明显地消失了。取而代之的是，如麦克法兰所描绘的：对家庭结构和工作组织的一些流动的、个人主义取向的态度；在农村社区的社会关系中，附带着一系列处理财产、继承以及妇女法定地位等问题的正式规则。麦克法兰想要指出的是：英国是不同于其他国家的，并且这种差异由来已久。但同时，他所收集到的大量证据清楚地表明：从正式规则与非正式约束之间复杂而又相互依存的网络中，产生了路径依赖的报酬递增特征。

关于西班牙制度结构中的报酬递增特征，最有力的证据是：王室与官僚尽管已经意识到国家正在走向腐朽没落，但还是无力改变西班牙的发展路径。在17世纪，西班牙从一个西方世界自罗马帝国以来最强大的国家，沦落为一个实力二流的国家。乡村人口的流失、工业的停滞以及塞维利亚与新大陆之间贸易系统的坍塌，都与政治领域内的加泰罗尼亚(Catalonia)和葡萄牙(Portugal)的反叛同时发生。其最直接的原因是周期性的战争和一场财政危机。这次财政危机使奥利瓦斯(Olivares，1621—1640年)不得不采取一些孤注一掷的措施，而这使得根本性问题进一步恶化。的确，在当时的制度约束和行为人的感知条件下，被认为可行的政策只有价格控制、增税以及一再地对财产进行没收。关于行为人的感知，扬·德·弗里斯在其对危机时期的欧洲的研究(Jan De Vries，1976)中，如下这般地描述了当时人们为扭转衰退所作出的努力：

然而并非社会没有意识到正在发生什么。一群经济改革

> 家……写了堆积如山的短文，吁请采取新的措施……事实上，在1623年，一次有关改革的会议(Junta de Reformación)就为新登基的国王菲利普四世(Philip IV)推荐了一系列措施，包括推行鼓励早婚的税收(从而人口可以增加)、限制奴仆数量、成立银行、禁止奢侈品的进口、关闭妓院，以及在小城镇禁止教授拉丁文(以免农民因受了零星的教育而离开农业)等。但却找不到力量来将这些建议贯彻实施下去……据说这次改革运动的唯一成就是废除了轮状皱领(ruff collar)，因为这种时尚曾让贵族们因为洗衣而几乎倾家荡产(De Vries，1976，p. 28)。

工具理性能否被运用到这次会议的论证中，看来尚有疑问。

在17世纪，英国和西班牙都面临着财政危机，但它们却走上了截然不同的路径，这反映了作为社会之深层基础的制度的特征。

自然而然的后果

美国的经济史是以联邦政制和制衡(checks and balances)以及作为一个基础结构的产权为其特征的。这些基本制度鼓励了能建立资本市场和经济成长所必须的长期契约行为。即使是有史以来最耗资巨大的一场内战，也无法改变其基本的制度矩阵。

反观拉丁美洲的经济史，那里却始终保持着从西班牙一葡萄牙继承来的集权与官僚传统。约翰·寇茨渥斯(John Coatsworth)对19世纪墨西哥的制度环境做了如下的刻画：

> 干预主义以及制度环境中广泛存在着的任意专横特性，使得城市与乡间的各个企业不得不采用高度政治化的运作方式，利用血族关系网络、政治影响以及家族声望来获得一些特权。这此特权包括获得信贷资助、得到各种劳动用工策略方面的帮助、追索借款或实施契约、避税或规避司法制裁，以及保有或取得土地等。经

> 济领域内的成功与失败，取决于生产商与政治权威之间的关系，这些政治权威包括：安排身边事务的地方官员、当情况需要时能从法律上偏袒或干预地方处理结果的殖民地中央政府。被相互勾结的特权系统排除在外且得不到政治袒护的小企业，不得不长期在半地下的状态中运作。它们总是处于法律的边缘，任由下层官员摆布。他们永远无法摆脱肆意妄为的法令的骚扰，也永远无法与更有权势的人的特权相对抗（Coatsworth，1978，p. 94）。

英国和西班牙在新大陆上建立起来的不同路径并没有弥合在一起，虽然共同的意识形态的影响也曾起到过一定的调和作用。在前者，一种促进非人际关系化交换的制度框架演化生成了，而非人际关系化交换是政治稳定以及获取现代技术的潜在经济收益所必需的。在后者，人情关系依然是许多政治与经济交换的关键。产生这种人情关系的制度框架在演化中既不能带来政治的稳定，也不能使现代技术的潜力得到持续的发挥。

13 经济史上的稳定与变迁

制度提供基本的结构，在整个人类历史上，人们通过这个基本结构来创造秩序并减少交换中的不确定性。它与所采用的技术一起，决定了交易费用和转形成本，进而决定着从事经济活动的获利的可能性与可行性。制度将过去、现在与未来连接在一起，从而历史在很大程度上就是一个渐进的制度演化过程。在这一过程中，历史上的经济绩效只能被理解为一个连续过程中的一个个片段。制度是理解政治与经济之间的关系以及这种相互关系对经济成长（或停滞、衰退）之影响的关键。但为什么有些交换形式是稳定的，而另一些则导致了更复杂且更具生产能力的交换形式的出现？我已经讨论过制度变迁方面的理论问题。在此，我只想探讨历史变迁的一些具体特征。

要考察历史上的稳定与变迁，首先要碰到的问题就是本书在开头部分曾提到过的那些（见第 2 章）。诸种制度该怎样结合，才能在任何时点都获得标准的新古典模型（零交易费用）中所内含的贸易收益呢？这个问题，即使是在不考虑历史因素的情况下，也是相当复杂的。若是历史地考虑，那就更复杂了。这是因为历史不是从白板（tabula rasa）中来的，它是从更早的历史中衍生出来的。在前面的章节中阐述过的历史的路径依赖模式，在某些情况下可以产生出不再演化的稳定的交换模式，而在另一些情况下，则导致动态变迁的发生。本书的观点是：当前的政治、经济和军事组织的形式以及其最大化的取向，是从制度结构所提供的机会集合中衍生出来的，同时，制度结构本身也在渐进地演化。但在有些时候，制度却很少或几乎没有演化。为什么有时稳定有时变化呢？接下来，我将描述一些更为复杂的经济交换方式，然后再来研究实现这些交换所必需的制度与组织结构。①

I

我的讨论将从村落内部的本地交换——甚或是狩猎与采集社会（男人狩猎，女人采集）的简单交换——开始。在这个世界里，专业化尚未发育完全，大部分家庭都是自给自足的。稍微进步一点的，是将贸易扩展到单个村落之外，这样便提高了一些专业化程度（通常这也只是以自给为主的家庭的一个副业）。市场扩展至地区性贸易，不仅意味着覆盖广阔地区的多边贸易的成长以及贸易的专业化市场的建立，还意味着贸易伙伴人数的急剧增加。尽管在这样的社会里，绝大多数劳动力还是从事农业，但从事贸易与商业的人数比例在不断增加。

远程贸易的演化与发展象征着经济结构的一个显著变化。这类贸易需要有一些人相当专业地从事交换过程，他们的生计全依赖于贸易。这就是贸易中心的早期发展。这些贸易中心可能只是临时性的会聚场所（如欧洲早期的集市），也可能是一些较为固定的城镇或城市。在这样的世界，就有了一些规模经济，例如种植农业。换句话说，地理上的专业化开始出现并成为了主要的议题。与此同时，某些职业上的专业化也应运而生了。

市场扩展的再下一步，需要有更多的专业化生产者。规模经济催生了科层性的生产组织。在这些组织中，全职工人在集中的场地或连续的生产流程中作业。城镇以及一些中心城市出现了，人口的职业分布也开始显现。此外，尽管人口中的大部分仍是从事农业，但从事制造业和服务业的劳动力比例显著上升。这也反映出社会明显的城市化倾向。

在最后一个阶段，即我们在现代西方社会里所能观察到的，专业化程度增加，从事农业的劳动力比例很小，广阔的市场遍及国内与国际。规模经济意味着大型组织的产生，这不仅是在制造业方面，还包括各种农业组织。每个人都具有专业化的功能，并依靠巨大的相互联系网络来提供必要的商品与服务。劳动力的职业分布逐渐地由以制造业为主，(最终)转移到以服务业为主。这是一个绝对的城市社会。

Ⅱ

无论是德国历史学派，还是更近一些的罗斯托(Rostow)的经济成长阶段论，我们对这些经济史阶段论还是比较熟悉的。然而在此，我要就这些阶段的特征提出一些不同的看法。我将考察是何种制度能使交易费用与转形成本处于特定水平，从而能促使劳动的专业化与分工程度不断提高。

小规模的乡村贸易存在于一个稠密的社会非正式约束的网络中。这些非正式约束能促进本地交换。在这种背景下，交易费用很低。尽管部落与村落组织的基本社会成本也许很高，但这些成本并不构成交易过程的额外成本。人们彼此之间有亲密的了解，同时暴力威胁是维持秩序的长久力量。因为对其他社会成员来说，他们知道暴力意味着什么。

当市场规模扩大后，地区性贸易使交易费用大幅度增加，因为参与者之间不甚密切的客户关系取代了稠密的社会网络，从而更多的资源被投入于衡量与实施的过程。在这样的世界里，通常不存在集中的政治控制，也不存在单一的政治结构或正式规则，宗教戒律界定着参与者的行事标准（standards of conduct）。其在降低交易费用方面的有效性，全取决于这些宗教戒律对于参与者到底能有多少约束力。

远程贸易的发展带来两个明显的交易费用问题。一是传统的代理问题。在历史上，这一问题在康孟达（commenda）* 或让亲友参与远程贸易等一些早期组织形式中就已出现。也就是说，定居的商人派一个亲戚跟随货物出发去异地，接洽生意并带回一车货物。衡量表现的成本、家族纽带的强弱，以及背叛的代价等，都决定着这类合约的结果。当贸易的规模与数量都增加后，代理问题变得越来越严重。二是在异地履行和实施契约的问题。在异地，人们往往找不到容易的办法来实施契约。实施不仅意味着保护物品与服务在途中不受海盗与土匪的侵犯，还包括合约在异地的实施。度量衡的标准化、计价单位、交换媒介、公证员、驻外领事、商务法庭，以及由外国自行有偿保护的外国商人飞地等的发展，都是使交易以及远程贸易能得以进行的组织、制度及工具组合的一部分。自愿或半强制组织的结合，或至少是能有效地驱逐违约商人的组织，都使远程贸易能得以发生。

下一个阶段，资本市场的创立以及有大量固定资本的制造企业的

---

* 在中世纪的欧洲，意大利及地中海沿岸的一些个体船夫为减少海运风险和扩大贸易规模，自愿组织成康孟达组织（commenda）。康孟达是一种商事契约，是航海者与出资者进行合作的一种商业合伙形式。按照康孟达契约，一方合伙人（stans）将金钱、商品、船舶等交付于另一方合伙人（tractor）用于海上经营。经营者利用自己的知识、经验和技术从事海上经营活动，盈利按出资额分配。亏损时，航海者负无限责任，而出资者仅在其出资范围内承担有限责任。康孟达式的共同经营形式既可以鼓励合伙人出资，又可使航海者得到足够的资金贩运货物。这种组织成为后来合伙公司的前身。——译者注

发展，需要有某种形式的强制性的政治秩序，因为随着更为复杂的和非人际关系化的互换(interchange)形式的出现，人际纽带、自愿性约束以及驱逐等，都已不再有效。这并不是说它们不重要了。在我们这个人与人相互依赖的世界里，它们仍然是有意义的。但背信的收益是如此的巨大，以至于不订立有效的非人际关系化的契约，复杂的交换便无法完成。有保障的产权需要那些能跨时跨地且有效地、公正地实施契约的政治与司法组织。

在最后一个阶段，专业化需要不断地增加用于交易的社会资源的比例，这样，交易部门占国民生产总值的比例增加了。这是因为，贸易、金融、银行和保险业的专业化以及经济活动的协调所牵涉到的劳动力的比例增加了。于是，高度专业化的交易组织形式便应运而生。国际间的劳动专业化与分工，需要有能跨国界保护产权的制度和组织，这样，资本市场以及其他形式的交换才有可能在参与者的承诺有保证的情况下产生出来。

上面简要概括的这几个阶段，似乎是一段一段连结在一起，组成了一个平滑的合作演化过程。但真是这样吗？是否存在着某种必然的联系，能使参与者从不甚复杂的交换形式过渡到比较复杂的交换形式？这种演化的关键不仅在于较低的信息成本、规模经济以及契约实施上的改进，允许了——事实上是促进了——交换形式由简单到复杂的演化，还在于组织有了获取知识和信息的激励，这使得组织能向更具社会生产性的方向演化。但是，我们还必须十分审慎地注意到：纵观历史，这种发展的必然理由实际上并不存在。事实上，可以证明：大部分我们曾描述过的交换与组织的早期形式，如今依然存在于世界的某些角落。原始部落社会依然存在，苏克(suq，指专门从事地区性贸易的集市经济)在世界的许多地方依然红火，虽然大篷车贸易(caravan trade)已经消失，但其消亡(以及另外两种原始交换形式的逐步瓦解)更多反映的是外部力量的影响，而不是其内在的演化。

相反，欧洲远程贸易的发展却导致了一连串更复杂的组织形式的内在发展。换言之,远程贸易的出现通过较低的交易费用、某些规模经济以及契约的本地实施的发展,在西欧部分地区引发了一种与上述原始的交换形式的稳定性截然不同的演化模式。在威尼斯的地中海贸易(Venetian Mediterranean)或香槟集市(Champagne fairs),或在汉莎(Hanseatic)的吕贝克(Lubeck)贸易中取得成功所需要的学习与技能,导致了更复杂更精致的制度安排的出现。无论是考察汇票(bill of exchange)的演化,还是商人法(law merchant)教条是怎样一步一步成功地嵌入正式法律的,我们都会发现:是追逐盈利机会的组织为了扩大贸易机会而导致了制度的演化。

有些经济体演化出了能促进第三方实施的发展的政治结构,还催生了象征着现代西方世界的复杂的制度结构。但即便是在西欧,也并不是所有的经济体都以同样的方式演化。有些国家——如西班牙——就走入了死胡同,这是其政治—经济政策造成破产或抑制生产性制度创新的结果。通过这种对原始交换形式以及西欧的发展更深入的考察,本章意在强调两种相对的力量,第一种力量造成了前者的制度与组织的稳定性,而另一种力量导致了后者的动态的经济变迁。

Ⅲ

最早的人类交换甚至连语言都不需要。手势语言(sign language)以及对货物近距离的观察[起码希罗多德(Herodotus)* 曾如是说],都足以构成交换的基础。日常的交换在国家还没有出现时就出现了。那时的交换规则是通过家庭集团之间可能结为世仇的威胁来实施的。然而,到了部落社会,交换就不是那么简单了。由于缺少由正式成文规则

* 希罗多德(Herodotus,约公元前 485 年—约公元前 425 年),古希腊历史学家。——译者注

支撑的国家，稠密的社会网络便替代了它的功能。我在第5章已经描绘过这种交换形式，在此只想再引伊利莎白·科尔森(Elizabeth Colson，1974)的一段话：

> 所有人生活其间的社区，被一种微妙的权力平衡控制着。人们总是感受到威胁，总要不断提防：每个人都要不断地稳固自己的地位，从而不得不处处表达自己的善意。习惯与习俗是有弹性的、易变的，因为对一个行为是否正确所作出的判断时刻在变……但这只是因为被判断的人是不同的，而不是因为所犯的罪行的不同。在此情况下，嘲弄那些被普遍接受的标准，就等于是在挑战权力的合法性，这将成为被指控的证据(Colson，1974，p. 59)。

科尔森和波斯纳(Posner，1980)的分析意味着：特立独行与标新立异被认为是对群体生存的一种威胁。

第二种交换形式——苏克——已存在了几千年，如今在北非和中东还依然存在着。其特征可归结为：流传甚广、一定程度的非人际关系化交换，以及相对较高的交易费用。[2]而其基本特征则是：存在着多种多样的小规模企业，它们吸纳了城镇中40%—50%的劳动力来从事这种交换过程；较低的固定成本，劳动分工十分精细，数量庞大的小规模交易(每一笔交易都或多或少地独立于下一笔)，面对面的接触，以及商品与服务的不同质性；没有专门的机构来汇集和分配市场信息；度量系统错综复杂而未能完全标准化；交换技能发展得很细致，各人拥有的技能差异十分明显，这是一个人在集市中能否获得成功的首要决定因素；就交换的各个方面或各个条件进行讨价还价的现象很普遍，同时也很热烈和顽强；买与卖事实上并没有区别，在本质上，买与卖都只是单次的活动。这种贸易是一个不断搜寻具体交易对象的过程，而不只是向一般公众提供货物。争执的处置是依靠可靠的目击者提供有关事实真相的证词，而不是通过辩论和司法原则来衡量。对市场活动所进行的政府控制是边缘的、分散的，并且大部分是流于形式的。

概括起来，苏克的核心特征是：(1)高额的衡量成本，(2)不断进行的客户化努力——即试图与其他商人建立起一种重复交换的关系，但却总是不完美的，以及(3)在每种情况下都需要深入细致的讨价还价——关键是自己获益，而让对方付出代价。从根本上说，这种游戏就是要设法提高交换对手的交易费用，而获益所凭借的往往是比对方拥有更多的信息。

这就容易理解为何创新会被视为对部落社会生存的一种威胁。同时，令人费解的一个问题是：为什么这样一种无效率的谈判方式能够在苏克中一直延续下去？人们会想：在我们所熟知的社会里，自愿性组织会演化出来，以对抗由这种信息不对称所带来的危害和不确定性。但这就是真正的问题所在。在苏克中所缺乏的，正是法律制度与司法实施的根本基础。这一基础能使自愿性组织变得可行并且盈利。缺少了它们，就没有了改变这个系统的任何激励。

在一个贸易需要被保护而有组织的国家又缺失的世界里，贸易该如何生存？商旅贸易就是一个例子，可以用来说明复杂的非正式约束使这种贸易得以完成。克利福德·吉尔兹(Clifford Geertz，1979)为我们描述了在世纪之交发生在摩洛哥的一次商旅贸易：

> 狭义地说，泽塔[zettata，源于柏柏尔语(Berber)的TAZETTAT，意指一小块布]就是一种通行工具，一笔给地方权势的成本……为了在通过他的势力范围时能得到保护。但事实上，或更恰当地说，这不仅仅是一种支付。它是整个道德仪式的复杂结构的一部分。习俗具有法律力量，并且是神圣的——它围绕在客人—主人、受保护者—庇护者、申诉者—被申诉者、流亡者—保护者，以及祈求者—神力等各种关系周围。在摩洛哥乡间，所有这些都纠结在一起。外来商人(或他们的代理人)只要进入这个部落社会，就必须入乡随俗。

虽然具体的表现形式不尽相同,但在阿特拉斯山脉中、高原地区(High and Middle Atlas)的柏柏人社会,保护的特征清晰而持久。保护是私人的、无条件的、明显的,是用他人的声誉来作为自己的保护衣。这种声誉可能是政治的、道德的、精神的,甚至有可能是特异的,或者,常常是四者皆有。这种交易的实质是:一个人若在心里说:"这个人是我的,伤害他你就是侮辱我,侮辱我你就必须负责",那么他就会在心里考虑:"站出来为他说话"(quam wa qal,就像古语所说的)。祝福(著名的 baraka)、好客、庇荫与护送在这个意义上都是一样的。它们都基于这样一种或许有些矛盾的理念:个人身份无论是其根源还是表现,都是极端个人的,但这并不意味着不能把自己的身份印刻到其他人的身上(Geertz,1979,p. 137)。

Ⅳ

部落组织、苏克以及商旅贸易,都代表了那些在历史上长期存在的、合作极其有限的稳定模式。在这些例子中,组织或个人为取得成功而必须具备的技能与知识似乎并不需要,或并不能导致基本制度框架的生产性改进。这些例子中,制度变迁的来源都是外部的。

与此相对应的是,现代欧洲早期的远程贸易的历史却是一步步发展出了更复杂的组织,并最终导致了西方世界的兴起。我先要来简要地描述一下创新,然后再探讨它的一些根本来源。

降低交易费用的创新,是由组织、工具、特定技巧以及实施特征的创新组成的。这些创新产生于三个成本边际:(1)能增加资本流动性的,(2)能降低信息成本的,以及(3)能分散风险的。显然,这些方面是相互重叠的,但这样的分类有助于我们分清交易的各种成本递减特性。

所有的这些创新都有其历史渊源，它们中的大部分是从中世纪的意大利城市国家，或伊斯兰国家(Islam)，或拜占庭(Byzantium)借鉴而来，并在其后的发展中变得更为复杂和精致。

影响资本流动性的创新之一，是规避反高利贷法(usury law)的技巧与方法的演化。各种将利息隐藏在贷款合约中的巧妙方法——从"逾期罚款"，到操纵利率(Lopez and Raymond，1955，p. 163)，再到早期的抵押形式——都增加了契约的成本。反高利贷法的成本不仅体现在使隐藏利息的契约在成文时显得复杂而烦琐，还表现在这类契约的实施也更成问题了。当反高利贷法逐渐崩溃，高利息率被承认后，契约的写作与实施成本都下降了。

另一种影响资本的流动性并最为人们所关注的创新，是汇票的演化，特别是那些能促成其转让的技巧与工具的发展，以及贴现方式的发展。反过来，转让与贴现又依赖于制度的创造。这包括承认其通行的制度，以及开展这些活动的中心的发展——先是集市(如香槟集市)，然后是银行，最后是专业从事贴现业务的金融商号。这些发展不仅是特定的制度的作用，也是因为经济活动规模的扩大。持续增加的交易数量显然使这种制度发展成为可能。此外，汇票的发展除需要规模经济外，契约实施方面的改进也很关键，同时，会计与审计方法的发展与其作为追索债务之证据以及契约实施之间的联系，也十分重要(Yamey，1949；Watts and Zimmerman，1983)。

影响资本流动性的第三个创新，是由如何在远程贸易中保持对代理人的控制这个问题引起的。在中世纪和近代，传统上解决这个问题的方法是用血族和家庭纽带将代理人与委托人捆绑在一起。这能使委托人得到一些保证：定单和路线将能被有效地执行(因为代理人对上帝的敬畏或有对更高目标的崇信，教会在约束代理人方面可能起过很大作用)。然而，随着商人贸易帝国在规模与范围方面的成长，委托给家族之外的人的自由处置权范围也扩大了，这就需要发展出一些更为复杂精致的会计程序来监督代理人的行为。

降低信息成本方面的主要发展，是各种商品价目表和手册的印制。它们提供了商品的重量、大小、关税、经纪成本、邮寄系统等信息，特别是提供了欧洲各种货币与贸易国货币之间复杂的汇率信息。显然，这些方面的发展主要是由大量的国际贸易引起的，因而也是规模经济的产物。

最后的一个创新是将不确定性转形为风险(risk)。本章在此所说的不确定性是指这样一种情况：人们无法确定一个事件发生的概率，因而也无法为这个事件的发生提供保险措施。而风险则意味着有能力对事件发生的可能性作精算判断，因而就可以对结果进行保险。在当今世界，我们都知道可以利用保险和资产组合的分散化来将不确定性转化为风险，通过套期保值(hedge)来克服变动性，来降低交易费用。而当我们回溯中世纪与近代时，我们会发现几乎完全一样的结果。例如，海事保险就是从零星的部分赔偿损失的个人契约，逐渐地演化为由专业厂商推出的契约的。

> 到 15 世纪，海事保险已经建立在一个稳固的基础之上了。保险条款的措辞已经格式化，并且在其后的 300 或 400 年里也少有变动……在 16 世纪，印制好的表格被广泛地采用，在表格上只留有少量的空格让人们填写，如：船名、货主名、保险金额、保费，以及少量其他项目。这使得契约的改换变得非常容易(de Roover, 1945, p. 198)。

海事保险是发展出精算、可辨的风险的一个例子。另一个例子是商业组织的风险分散。这种风险分散或是通过资产组合的分散化，或是通过允许大批投资者从事风险性活动的制度来达到。源于犹太、拜占庭和穆斯林的全权委托(Udovitch, 1962)，经由在意大利的演化传到了英国的受管制公司以及康孟达(commenda)。这是一个风险制度化的演化过程(在后文中将要提到，这种发展也给相关委托人带来了新的代理问题)。

特定的创新以及特殊的制度工具,是两种根本的经济力量互动的产物。一种力量是与贸易的扩大相联系的规模经济,而另一种力量则是实施机制的完善使得以较低的成本实施契约成为可能。当然,这种因果联系是双向的。即,远程贸易量的增加提高了那些能设计出有效机制来实施契约的商人的回报率,同时这种实施机制的发展又降低了衡量契约的成本,使得贸易更加有利可图,这反过来又增加了贸易量。

对实施机制的发展进行考察,我们会发现,这是一个漫长的过程。尽管有一些法庭负责处理商务争端,但由商人自己实施合约的机制的发展与演化则更为有趣。[3]实施力量似乎源于行会商人内部兄弟般的行事准则的发展,背叛他们的人将面临断交的威胁。在远程贸易中,商人们的这种行事准则也被一起带了出去。这样,比萨(Pisan)的法律被带入马赛(Marseilles)的航海准则中,奥雷隆(Oleron)和吕贝克(Lubeck)将法律带给北欧,而巴塞罗纳(Barcelona)的法律则被带给了南欧,并且,意大利还产生了保险与汇票的法律原则(Mitchell,1969,p. 156)。

较精细的会计方法、对这些方法的使用以及在产生争端时援引公证记录作为证据,这些方面的发展使证据成为在争端中辩明事实的基础。通过内部商人组织实施契约的自愿性结构与国家实施的逐渐融合,是契约实施能力递增过程的一个重要组成部分。商人法从其自愿性源头以及与普通法、罗马法之间的裁决分歧出发的漫长演化,也是这个过程的一部分。这里首先要指出的是:这两种法律事实上根本不相容。这一点突出地表现在保险契约中的道德风险(moral hazard)与信息不对称以及交换的欺诈行为上。在英国,商人法准由普通法法庭推断,但仍然按照商人法的原始精神处理,也即,它是建立在习俗基础上的法律。就案例来说,其很难形成一个特定的规则,因为不可能将习俗从事实中区分出来。习惯上,是将习俗与事实一起留给陪审团处理,法官则责成陪审团作出决定并运用有事实支持的习俗。这一政策最终还是被改变了。当曼斯菲尔德勋爵(Lord Mansfield)在1756年当上英国国王法庭(English court of King's Bench)的首席法官(chief justice)时,他赋予现存习俗一定的权力,并建立起一些裁决未来案件的一般原则。他不太喜欢英国的普通法,所以他订立的这些原则中有许多援引自外国法学家的文论(Scrutton,1891,p. 15)。

商人法,除了为商人的独特需要提供必需的法庭,还促进了降低交易费用方面的重大发展。这包括承认委托人必须为其代理人负责(建立在罗马法有关委托的条款基础之上)。这既产生了收益,也招致了成本。它允许商人通过一系列的代理人来扩展其业务范围,但它也带来了更多的委托—代理问题。起初,这一法律只是针对那些为委托人所熟悉的代理人的。但代理人却因此普遍地获得了信用,因为人们一般都认为代理人是在替委托人做事,这就为代理人提供了利用这一信用来谋取自身利益的明显的机会。在另一方面,这一特权也可被用来控制委托—代理问题。商人的特权延伸至代理人。代理人可以利用商人的信用来为自己私人的贸易服务。这样,商人提高了代理人失去现有职位的机会成本。假如代理人滥用职权,他将失去的不仅是他的工作,还将失去一个有价值的信用来源。

商人法在契约与销售方面的作用特别有助于贸易的扩展。已有的罗马法与日尔曼法(Germanic laws)都未能给予商人其所需要的谈判的安全性与确定性。当商人在毫不知情的情况下购买了赃物或失物而被原物主指控时,这两种法律都不能为商人提供保护。封建领主意识到集市与市场作为其收入来源的价值以及保护诚实买主的重要性。根据商人法,诚实的买主或者可以继续持有货物,或者可以在货物已返还原物主的情况下,得到退回的货款。

保护诚实(bona fide)的购买者并非普通法的内容。然而在商业纠纷中,诚信原则(good faith principle)不仅很早就开始使用,而且运用范围很广(早在公元200年,它就成为罗马契约法的基础)。其最初来源于集市契约(fair bonds),在契约上盖印就可以使在集市上的买卖生效。起初这只是一种自愿方式——按照当时的集市习俗，在有见证人的情况下就可以发生借贷关系。但最终，为了避免欺诈，同时也为了增加收入，“所有买卖都必须有盖印的契约才被认可”成了一项法律要求。一旦盖了印，则只有当印章被证实是伪造的时，契约才会失去效力。

商人法的许多规则是由于普通法妨碍贸易而被发展出来的。例如，普通法无法保护诚实的购买者，它迫使买者必须追查到原物主。这显然给商人带来了很大的麻烦。完成这一搜索所需要的成本与时间让人望而却步，这也产生了商人法与普通法的第一个不同。从13世纪到16世纪，这一情形的演化可以从对赃物的购买者的处置中看出。在13世纪，这类货物的买者一旦在货物所有权链条上的任何环节被发现问题，都必须返还货物。而当埃德蒙德·科克(Edmund Coke)于1606年被任命为首席法官时，货物的最终(诚信的)购买者已被承认(在有些法庭，但不是全部)对货物具有唯一的所有权，任何合法的购买将使所有权链条上的任何环节都合法化。

在这一演化过程中，国家是一个主角，并且，国家的财政需要与其取信于商人以及公众的程度之间的互动持续地进行着。特别是，资本市场的演化受到国家政策的极大影响，因为只有当国家能信守承诺，不随意没收资产，不利用其强制性权力来增加交换中的不确定性时，金融制度的演化才有可能发生，也才有可能建立起一个更有效率的资本市场。对统治者恣意的行为的束缚以及能成功地限制国家与自愿性组织的非人际关系化规则(impersonal rules)的发展，乃是这种制度转型的关键之所在。形成一种制度程序使政府负债能流通并成为正常资本市场的一部分，形成一种程序使政府负债能通过正常的税收来源来融资，则是资本市场演化过程中的关键一步(Tracy，1985；North and Weingast，1989)。

在荷兰，特别是在阿姆斯特丹(Amsterdam)，各种创新与制度结合在一起，开创了现代有效率的、能促进交换与商业成长的市场模式。开放的移民政策吸引了商人；为远程贸易融资的有效方式也发展起来了。

资本市场和金融商行的贴现方式，能降低从事这种贸易的成本。分散风险以及将不确定性转型为精算可辩的风险的技能的发展、能降低信息成本的大规模市场的创立，以及可转让政府债券的发展，都是这个故事的一部分(Barbour，1950)。

V

上述有关稳定性与变迁的故事，在事实上触及了人类经济状况这个谜团的核心。在前一个例子(原始交换)中，行为人的最大化活动不能导致知识与技能的增加，或者说不能改变制度框架以创造出更高的生产能力。在后一个例子(西欧)中，演化是一个渐进性变迁的连贯过程。而渐进性变迁则是由那些需要由能提高生产能力的组织与制度变迁来实现的私人利益引发的。为了使这一过程更为可信，人们有必要将西欧的变迁与知识的积累和应用的整体演化方式，以及其与经济、政治结构之间的互动联系在一起。要这么做，就必须考察政治单位之间的竞争方式、教会的知识权威的瓦解，以及不断演化的军事技术。所有这些，都与知识和技能的发展与应用存在着一种互动关系。

欧洲的成功与中国、伊斯兰国家以及其他一些地区的情况形成了鲜明的对比。传统的解释认为：是政治体之间的竞争带来了欧洲的成功。不可否认，这种竞争也是这一故事的一个重要组成部分，但显然它并非全部。有些欧洲国家并未得到发展。西班牙和葡萄牙就停滞了几个世纪，而其他欧洲国家的发展也很不均衡。只有荷兰与英国，才是制度变迁的载体(carriers)。如前所述，路径依赖特征在截然不同的初始条件的背景之下，使英国与西班牙走上了不同的道路。

注 释

① 我在多年前写的一篇文章(North,1955)中指出:许多地区性经济体系最初是由出口经济演化而来的。这可以与我们从德国历史学派(German historical school)那里继承来的旧历史阶段论(old stage theories of history)的观点相比照。那些理论认为:演化总是由地方专制(local autarchy)走向劳动专业化程度与分工程度的增加。此处要描述的就是这一最终模式,但即便如此,在很多情况下这一总结并不正确。

② 有关苏克的文献很多。本文的研究主要建立在 Geertz 以及 Geertz 和 Rosen(1979)对存在于摩洛哥(Morocco)谢福鲁地区(Sefrou)的苏克所做的复杂分析的基础之上。

③ 以下的这段有关法律演化的简要讨论已在原稿的基础上大有改进。这要感谢华盛顿大学法学院的 John Drobak 和 William Jones,以及芝加哥大学法学院的 Dick Helmholz 对我初稿的批评。我向他们致谢并声明任何仍留有的错误均与他们无关。

14

制度分析与经济史的结合：前景与疑难

I

将制度分析清楚而直接地融入到经济史以及一般历史的书写(以及因而改变的阅读)之中,会产生些什么不同呢？书写历史,就是将随时光流转的人类状况的某些方面构建成一个连贯的故事。这种构建只存在于人类的心智(human mind)之中。我们不重建过去,我们只是构建一个关于过去的故事。然而,一部好的历史,其故事就必须能给出一个一致的、合乎逻辑的解释,并且还应能紧守已有的证据与理论。对上面这个问题的一个简短回答便是:制度与历史的结合,比之其他方式,将能使我们讲出一个更好的故事。计量史学之前的经济史实际上是围绕着制度来建立的,并且,它经由了那些最有成就的史学家之手,试图提供给我们一幅连贯的制度变迁图景,也就是说,那是一个演化的故事。但是，由于它是建立在那些缺乏整体结构的零散的理论与统计数据的基础之上的，故而无法形成一般性的结论，或者无法跳出对个案的特定特征的分析。计量史学的贡献则在于能将系统的理论体系——新古典理论——运用到史学研究中，并且运用复杂而精巧的计量方法来说明并检验历史模型。

然而，我们早已为无条件地接受新古典理论而付出了很大的代价。将价格理论系统地运用于经济史确实是一个了不起的贡献，但新古典理论所关注的只是一定时点上的资源配置问题。这对于那些将解释随时间推移的变迁作为中心任务的历史学家来说，是有严重的局限性的。加之，配置被假设为是发生在无摩擦的世界里的，也就是说，在这个世界里，制度不仅不存在，并且也是无关紧要的。这两个假设丝毫没有顾及经济史学的真正宗旨：要解释在时光流转中出现的社会成长、停滞或衰退的不同模式；要探讨在人类互动中产生的摩擦是怎样带来截然不同的结果的。

将新古典理论应用于历史，使经济史学家能集中关注选择与约束，这自然是有益的。也就是说，我们可以考察界定和限制人类选择集合的约束究竟是哪些。但约束并不是源于人类组织的局限，而只来源于技术与收入的局限。然而，甚至是技术——至少在新古典框架中——也总被当成是一个外生的因素，也从未真正地进入到模型中。尽管在技术史及其与经济绩效之间的关系方面亦已出现了不少重要的研究，但实际上，技术还是被排除在任何正式的理论体系之外的。马克思(Karl Marx)所做的工作是个例外。他试图将技术变迁与制度变迁整合在一起。马克思早年对生产力(production forces，他通常用这个概念来指技术状况)与生产关系(指人类组织的某些方面，特别是产权)的阐述，是将技术的限制和约束与人类组织的限制和约束结合在一起的先驱。[①]

但是，马克思的故事却有一个乌托邦式(utopian)的结局(尽管一些罪恶势力仍在不断地为马克思主义理论者提供大量活该被怪罪的素材)，当然，这种制度分析也从未保证过一定会有一个快乐的结局。

计量史学之前的经济史学家同样是将技术放在中心位置上的。事实上，将工业革命(Industrial Revolution)看作为人类历史上的重大转折点的故事，就是围绕着发生在18世纪的不连续的技术变迁而构建的。那个故事把技术变成了人类福利的创造者，而将乌托邦想象为一个简单的生产潜能(production capacity)递增的故事。

马克思理论的缺陷在于：它仰赖人类行为的一个根本性变化来实现结果，而我们没有任何理由相信这样的变化会发生(即使是在社会主义社会有了70年历史后的今天)。[2]传统史学家则强调：工业革命与技术变迁才是通往乌托邦的关键。这同样是有缺陷的，因为世界上的大部分国家都并未能实现技术的潜在收益。事实上，现代技术有可能使许多人类冲突问题更加恶化。当然，技术已经使冲突变得更为致命。

我相信有一个不同的并且更好的故事。它关注的是人类为了解决合作问题而进行的永无止歇的抗争，从而他们收获的，不仅是技术带来的益处，而且还包括那些构成文明的所有其他的人类的努力。

Ⅱ

对技术的强调，对于经济史的写作来说，是一个值得称道的贡献。第二次世界大战后，库茨涅茨(Simon Kuznets)、索罗(Robert Solow)、丹尼森(Edward Dennison)，阿布拉莫维奇(Moses Abramovitz)以及肯德里克(John Kendrick)的许多研究，引领着人们从分析生产能力变迁的角度来探究经济成长的源泉。尽管40多年的研究还未能完全揭开生产能力变迁的来源之谜，但这种研究使我们增加了对经济成长的基本原动力的了解。注重对生产能力成长的研究，对于探讨经济成长的原动力来说,无疑是一个正确的方向。技术决定了可实现的经济成长的上限。在本书的语境中,简单地说,在一个交易费用为零的世界里,知识存量及其应用的增长(包括实物资本与人力资本两方面),为人类在社会中实现其潜在的福利提供了一把钥匙。但这种分析没有涉及:为什么这种潜在的福利没有实现?为什么在大部分技术都是人皆可得的情况下,富国与穷国之间还存在着如此巨大的差异?现实世界的差异,反映的是经济学家在理论以及模型构建上的差异。

新古典理论并没有直接处理成长问题。然而,按照该理论的基本假设,有理由认为成长问题其实并不存在(尽管成长率有可能不同)。因为产出是由资本存量(包括实物资本与人力资本两种)决定的。在新古典的世界里,我们可以通过投资于任何有高回报率的机会来增加资本的存量。这里并不存在什么固定的要素。我们可以通过对新技术的投资来克服资源短缺。我们也可以通过投资于新知识来克服任何其他类型的短缺、克服潜在的要素固定性。但显然,如前文所指出的,这种新古典构想回避了所有的那些有趣的问题。更直白地说,近期围绕着报酬递增(Romer,1986)以及实物与人力资本积累(Lucas,1988)而建立起来的有关于成长的新古典模型,其模型的得出强烈地依赖于一个暗含的激励结构的存在。鲍莫尔(Baumol,1986)的研究也隐含地得出了这个结论。因为他发现:趋于一致的现象只发生在16个发达的经济体之间(有大致相似的激励结构),而并没有发生在它们与中央计划经济体以及欠发达国家(有明显不同的激励结构)之间。要想解释经济体历史经历上的差异,或要想解释当今发达的经济体、中央计划经济体以及欠发达的经济体之间的绩效差异,而不将产生于制度的激励结构看作是最重要的因素,在我看来,这种努力必然是徒劳无功的。

另一个极端是马克思的模型,或原先受马克思模型的启发而产生的分析框架。它们确实强烈地依赖于制度方面的考虑。无论是帝国主义论、依附论,还是中心—外围论,都由相同的制度架构得出了剥削和(或)不均衡的成长以及收入分配模式方面的结论。这些模型令人信服地将制度与激励、选择、结果等联系在一起,这与本书的观点是一致的。大部分的人类经济史都是具有不平等的谈判能力的人们最大化其自身福利的过程。若是这样的最大化过程大多不是建立在别人受损的基础上,那才奇怪呢!事实上,本书的中心议题之一,就是研究在达成合作解的过程中所出现的问题。在交换结构方面那就更为一致了。交换结构反映了参与者在资源、资本以及信息获取上的不平等,这将导致极为不均衡的结果。不过,剥削模型要想让人彻底信服,他们就必须证明制度框架确实能造成其理论所蕴含的系统性的不平衡的结果。

无论是新古典模型还是"剥削"模型,都是从财富最大化的参与者这一假设前提导出的,因而它们均受制度的激励结构的影响。二者的差别在于:前者中所暗含的制度结构产生出了有效率的竞争市场,经济体在报酬递增和资本积累的驱动下不断成长;而在后者,制度结构导致帝国主义或中心(core)经济体的出现,它们剥削依附的或外围的经济体。由于在历史上或在当今的世界,无不同时存在着成长的、停滞的或衰落的经济体,因而厘清到底是哪些制度特征型塑了绩效,将是十分有价值的。是什么导致了有效率市场的形成?如果说穷国之所以贫穷,是因为它们是阻碍成长的制度结构的牺牲品,那么制度结构是外部强加的呢,还是内生的?还是这二者的综合?要对制度做系统性研究,就必须回答这些问题。特别是,我们必须搜集这些经济体的交易费用与转形成本的经验数据,然后要追溯这些成本的制度性起源。在第8章,我对美国住宅市场上的交易费用及其制度基础做过十分简短的分析。同时,在那一章我也简要地提及了第三世界经济体的较高的交易费用与转形成本。但那些特殊的例子,如购买零件或安装电话所需要花费的时间等,都只是些说明性质的资料。我们还需要着手去做的是系统性的经验研究,这样才能厘清导致经济没有收益的成本及其制度基础。这样,我们才有可能弄清那些制度的起源。

Ⅲ

我很希望能在这一总结性的章节中证明:前面章节中和本章中所提出的问题都已经有了答案。但可惜的是,它们没有。但我确信,本书的分析框架已经回答了部分问题,而那些尚未解决的问题也都有望解决。让我们来看一看我们现在走到了哪里。

激励是经济绩效的根本决定因素。它暗含在我们的理论中,并被假定具有特定的形式与影响。应将激励搬到那本该属于它的前台,以作为解释经济绩效的关键。前文的核心论点是:激励无论是在过去还是现在,差异都极大。将制度分析纳入到经济学与经济史学中,所改变的是研究的重点,而并不意味着要抛弃那些已有的理论工具。改变研究的重点需要我们修正有关理性的概念与含义,需要将观念与意识形态纳入我们的分析,需要明确地研究政治与经济市场运行中的交易费用,需要理解路径依赖对经济体系的历史演化所造成的后果。同时,新古典价格理论的基础性工具以及计量史学家们经过一代人的努力而发展出来的复杂精巧的计量技巧,仍将继续保留在我们的工具箱中。这种进路将怎样地改变我们对经济史的感知与写作?让我通过美国经济史来对此作一说明。

制度分析将十分重要的英国制度遗产、创立殖民经济的观念以及当时相对有效率的市场引入到理论框架中。为从由此产生的机会中获益而崛起的企业——种植园、贸易商、船运厂商、家庭农场——创造出蓬勃的殖民经济。这种遗产不仅是指经济方面的,还包括政治与智识方面——镇选民大会(town meeting)与自治、殖民地大会、以及从霍布斯(Hobbes)与洛克(Locke)那里延续下来的智识传统。将发生在1763—1789年的事件整合进一个政治与经济组织因主观感知驱使而创造出一个新的独立国家的制度结构的全过程,是十分必要的。尽管我们一直都知晓政治与智识思潮的重要性，但制度框架可以将分析从特定的描述转变为一个完整的故事，从而加深我们对美国历史上这一重要时期的理解。

19 世纪的美国经济体系为经济成长提供了适宜的环境。到底是什么使环境如此适宜？这自然引发了学者的关注。他们研究宪政产生的后果、法律的演化、拓荒者的作用、土著与移民双方的态度，还研究了许多其他影响激励的社会特征。事实上，制度矩阵（包括正式规则以及蕴涵于观念与价值中的非正式约束）的适应性效率特征，引导了这种经济与政治环境的诞生，并使组织的生产性活动以及他们发展技能与知识的努力得到回报。对于这个矩阵来说，什么才是最重要的？什么是被刻意创造出来以鼓励生产能力的成长与灵活的反应的？而什么又是其他目的的偶然的副产品？要更深入地理解经济成长，对上述这些问题的回答均很重要。

我们也曾对这种成长的成本给予大量关注。这些成本中的一部分，是为适应性效率所付出的代价。系统淘汰了失败者，这些失败者包括：拓荒时期破产的农民，因我们丧失了海运上的比较优势而经营失败的船运商，在 19 世纪 50 年代因移民竞争而饱受失业与工资下降煎熬的劳工们。然而，另一些成本则是由为了那些更有谈判力量的人的利益而剥削个人与群体——印地安人、奴隶，以及时常发生的剥削移民、劳工和农民的制度造成的。简言之，成长以及成长的成本，都是特定制度框架的共同产物。

政治框架也为那些失败者提供机会，以补救他们所感知到的不幸的根源。可被感知的根源包括经由现时之智识思潮以及行为人之意识形态过滤了的、可立刻观察到的悲惨状况。农民常常能观察到铁路公司或谷物仓储商的价格歧视，但平民党（Populist Party）的党纲只反映总体的意识形态观点，如可感知的由金本位制（gold standard）带来的负担、普遍存在的垄断，以及由银行家造成的恶劣后果等。不理解那时的智识思潮，我们就无法真正弄清那一时期的抗争运动与政策建议。

如果不了解那些运动,我们也无法真正理解由这些运动导致的政治与经济的变迁方向。在19世纪后期,无论是什么原因造成了农民的困境与不满,真正重要的是农民的感知,它带来了政治与经济制度框架的变化。

不仅只有农民的感知是重要的,能影响制度矩阵的结果的其他组织中的成员的不断演化的主观模型也很重要。最高法院能否理解"孟恩诉伊利诺伊州一案"(*Munn v. Illinois*)以及其他许多法庭判决对于逐渐地改变法律框架的含意,取决于对现有法律的效果的信息回馈是否是准确的,并进而能否给他们提供真实的模型。真实的或错误的,他们据以行事的模型渐进地改变着司法框架。

制度分析对美国经济史研究的总体贡献,是使之成为了一个真正的历史故事。这是计量史学所缺乏的。那段历史中的大部分的路径依赖,可以简单地认为是由于过去的约束限制着当前的选择,并使当前的选择集合更为明晰。但其中的大部分却反映出路径依赖的更为根本的地位,即,它是制度矩阵的报酬递增特征的结果。政治与经济组织通过网络外部性以及其他一些报酬递增的来源而对制度矩阵的强化,为美国经济史烙上了决定性的印记。组织也导致了渐进性的变迁。那种基本的稳定性与渐进性变迁的融合,可以带给我们对那段历史更深入、也更令人满意的解释。

Ⅳ

本章将对经济史的核心议题再做一番推测,以此作为本书的结语。制度决定了经济绩效,但又是什么创造了有效率的制度呢?显然,在世界的某些地方确实存在着较有生产性的制度,并且其获取制度后续绩效特征的信息成本也较低。这就为那些经济绩效较差的经济体改变其现存制度提供了强有力的激励。1989年的东欧剧变就是一个例子。

但我们能够将导致这种变化的力量一般化吗？我们该怎样逆转一个特定的制度矩阵的报酬递增特征？我相信，前面的分析已经为研究经济体的制度矩阵的两个相关特性——非正式约束、政治过程中固有的交易费用——提供了许多线索和要点。

非正式约束来源于价值的文化传递，来源于为解决特定的交换问题而对正式规则的扩展与应用，来源于解决简单的协调问题的方法。总体而言，它们对制度结构有着广泛的影响。有效的传统如勤劳、诚实和正直等，能降低交易费用，并促成复杂的、生产性的交换。这种传统又会为支撑这种态度的意识形态所强化。这些态度与意识形态从何而来？它们又是如何变化的？行为人的主观感知并不仅仅来源于文化，它还不断地被经验所修改，而经验则经过了现存的（文化决定的）心智构念的过滤。因而，相对价格的根本性变化将逐渐地改变规范与意识形态，并且，信息的成本越低，这种改变就越是迅速。

第 12 章有个重要主题：即使是在最完美的政治市场，交易费用也还是相对较高的。其结果是政治行为人在做选择时常常享有较高的自由度。不论“委托—代理”论战——有关现代美国政治中国会成员从选民约束中所获得的自由——的结果如何（Kalt and Zupan，1984），纵观历史上以及当今第三世界和东欧的政治体系，可以发现，在那里，来自选民利益的约束其实更少。在某些情况下，政治家将承担组织的成本和（或）提供一个能够实施承诺的法律框架。这可能鼓励集团的形成。而这些集团可能致力于更激进的经济变迁。关键在于政治家所面临的激励将使部分选民——那些愿意出力改变现状的人——显得比其他那些选民更为重要。于是，政治的行为人就能够驱动更为激进的变迁。[3]

通过重新回到对 17 世纪英国政治变迁的讨论，我们可以将这两个特性联系在一起。在我最近与温加斯特合著的论文中（North and Weingast，1989），我们认为，由光荣革命（Glorious Revolution）所导致的英国政治体系的根本性变迁，是对英国经济发展有着关键性贡献的因素。这一事件的梗概如下：17 世纪初，斯图亚特王朝（Stuarts）一再遭遇财政危机,这迫使王室不得不从事强行贷款、售卖垄断权,以及其他一些使产权保障受损的做法(包括财产充公)。议会与普通法法庭开始与王室进行长期的抗争。最终,在几次意欲改变政治制度的试验失败后,内战爆发。尽管君主制(monarchy)于1660年重新恢复,但结果却是对斯图亚特王室的财政特权的政治抗争仍反复出现,并最终废黜了国王。革命者想寻求控制王室之任意妄为与强制没收的权力的办法。[④]于是,议会的崇高地位、中央(议会的)控制财政事务、限制皇权、司法独立(至少脱离王室而独立)以及普通法法庭的崇高地位,均相应地建立起来了。这一系列变革的一个主要成果,是增强了对产权的保障。

最引人注目的,也是立时就呈现出来的效果,是资本市场的快速发展。光荣革命后,政府不仅有了财政偿付能力,而且取得了前所未有的资金。在9年的时间里(1688—1697年),政府借款节节攀升。贷方愿意向政府提供资金的意愿的巨大变化,反映出他们清楚地感知:政府是会践约的。

最初作为公债中介而于1694年成立的英格兰银行,也逐渐开办起私人业务。同时期,大量其他银行也开始开办此类业务。种类繁多的证券与可转让金融工具在18世纪初兴起,同时,私人信用的利率也大致与公债利率相当。

产权保障以及公共与私人资本市场的发展,不仅带来了英国后来快速的经济发展,还成就了其政治上的霸主地位,并最终使英国雄霸世界。没有金融革命(financial revolution),英国不可能战胜法国(Dickson,1967)。从1688年至1697年,由债务增长带来的资金是英国在与法国的长期战争中获胜的不可或缺的条件。而在接下来的另一场战争(1703—1714年)中,亦是如此。这样,英国成为了世界最强大的国家之一。

我们是不是要将英国的崛起归功于政治抗争以及议会的最终获胜呢?自然,这是英国获得成功的可能来源与必要条件。但这似乎又有些言过其实的危险。如果斯图亚特王室获胜,那英国会不会走上欧陆国家(Continental countries)的道路？人们进行着合理的反事实推论(counterfactual)，强调英国的产权与普通法在最终限制皇室行为方面的根本性作用。回忆一下第12章中对路径依赖的讨论，其中提到英国的社会态度和规范与那些欧陆国家有着显著的差异。非正式约束在17世纪的一系列事件中起到了什么样的背景作用？促使政治行为人作出选择并最终导致了革命的主观感知，在多大程度上受到非正式约束以及相应的意识形态的影响？对这些问题，我们还没有清楚、确定的回答。但显然，我们可以合理地认为：作为基础的非正式约束是有利于这种正式规则的变迁的。英国其后的政治—经济系统的稳定就是支持这一论点的最好证据。当正式规则的剧烈变化导致了其与现存非正式约束不相融合时，二者之间无法缓解的紧张将带来政治的长期不稳定。

有效率的制度来源于一种政治体，它内置了创造与实施有效率的产权制度的激励。但在不考虑其他约束条件，而只考虑政治行为人的财富最大化特征的情况下，要构建有关这种政治体的模型是困难的，或许，这根本就不可能。因而，公共选择学派的文献所发展出来的那些有关政治体的经济学模型，将国家刻画得像个黑手党组织——或用他们的术语，一个“利维坦”(leviathan)，于是，国家变得仅仅像一架再分配财富与收入的机器。当然，我们不需要进行深入观察就能够发现国家的这些特征。但传统的公共选择学派的文献显然不像他们想要证明的那样，是个完整的故事。非正式约束是重要的。要更好地解答这类问题，我们需要更多地了解衍生自文化的行为规范，以及行为规范与正式规则之间的互动方式。对于制度的严谨研究，我们才刚刚开始。前景是美好的。我们也许永远也无法确切地回答所有问题，但我们可以做得更好一些。

注　释

① 见诺思(North，1986)的《值得去理解马克思吗？》(*Is It Worth Making*

Sense of Marx?）。该文针对的是乔恩·埃尔斯特（Jon Elster）的《理解马克思》（*Making Sense of Marx*），以及 N. Rosenberg（1974）的《卡尔·马克思与科学的经济角色》（*Karl Marx and the Economic Role of Science*）。

② 然而，需要说明的是：在本书的制度模型中，意识形态占据了很重要的位置，而意识形态的确改变着人们的行为。但是，有关社会主义与乌托邦社会的意识形态的最惊人证据是：无论其在某些方面——作为一种原动力来克服“搭便车”问题、培养革命骨干，或在其他方面改变人们的行为——是多么的有力，但一段时间后，当遭遇到个人财富最大化这个行为来源时，它就会逐渐消退。最近发生的东欧事件就是一个明证。

③ 贝茨（Robert Bates，1989）近期对肯尼亚自矛矛党人反叛（Mau-Mau revolt）到独立以来的政治经济所做的研究，为该论点提供了有趣的经验性内容，我感激他着力提醒我在他的研究中有这一层意义。

④ 这一说法似乎有辉格党历史（Whig history）的嫌疑，但实际上只是想反映他们对这些问题的感知。这里并没有暗示革命者的动机比那些王室单纯，或者他们对社会演化有什么更了不起的见解。

参考文献

Akerlof, George A. 1970. "The Market for 'Lemons': Qualitative Uncertainty and the Market Mechanism." *Quarterly Journal of Economics*, 84:488—500.

Alchian, Armen A. 1950. "Uncertainty, Evolution and Economic Theory." *Journal of Political Economy* 58: 211—221.

Arthur, W. Brian. 1988. "Self-Reinforcing Mechanisms in Economics." In Philip W. Anderson, Kenneth J. Arrow, and David Pines (eds.), *The Economy as an Evolving Complex System*. Reading, MA.: Addison-Wesley.

—1989. "Competing Technologies, Increasing Returns, and Lock-In by Historical Events." *Economic Journal*, 99:116—131.

Axelrod, Robert. 1984. *The Evolution of Cooperation*. New York: Basic Books.

—1986. "An Evolutionary Approach to Norms." *American Political Science Review*, 80:1095—1111.

Barbour, Violet. 1950. *Capitalism in Amsterdam in the Seventeenth Century*. Baltimore: Johns Hopkins University Press.

Barzel, Yoram. 1977. "An Economic Analysis of Slavery." *Journal of Law and Economics*, 20:87—110.

—1982. "Measurement Cost and the Organization of Markets." *Journal of Law and Economics*, 25:27—48.

—1989. *Economic Analysis of Property Rights*. Cambridge: Cambridge University Press.

Bates, Robert H. 1987. *Essays on the Political Economy of Rural Africa*. Berkeley: University of California Press.

—1989. *Beyond the Miracle of the Market: The Political Economy of Agrarian Development in Rural Kenya*. Cambridge: Cambridge University Press.

Baumol, William J. 1986. "Productivity Growth, Convergence, and Welfare: What the Long Run Data Show." *American Economic Review*, 76: 1072—1085.

Becket, Gary S. 1965. "A Theory of the Allocation of Time." *Economic Journal*, 75:493—517.

—1981. *A Treatise on tbe Family. Cambridge*, MA.: Harvard University Press.

—1983. "A Theory of Competition Among Pressure Groups." *Quarterly Journal of Economics*, 98: 372—399.

and George Stigler. 1977. "De Gustibus Non Est Disputandum." *American Economic Review*, 67:76—90.

Boyd, R. and p. J. Richerson. 1985. *Culture and the Evolutionary Process*. Chicago: University of Chicago Press.

Buchanan, James M. and Gordon Tullock. 1962. *The Calculus of Consent*. Ann Arbor: University of Michigan Press.

Carstensen, V. (ed.). 1963. *The Public Lands*. Madison: University of Wisconsin Press.

Cavalli-Sforza, L. L. and M. W. Feldman. 1981. *Cultural Transmission and Evolution: A Quantitative Approach*. *Princeton*: Princeton University Press.

Chandler, Alfred. 1977. *The Visible Hand*. Cambridge, MA.: Harvard University Press.

Cheung, Steven N. S. 1974. "A Theory of Price Control." *Journal of Law and Economics*, 11:13—45.

— 1983. "The Contractual Nature of the Firm." *Journal of Law and Economics*, 17:53—71.

Coase, Ronald H. 1937. "The Nature of the Firm." *Economica*, 4:386—405.

—1960. "The Problem of Social Cost." *Journal of Law and Economics*, 3:

1—44.
Coatsworth, John H. 1978. "Obstacles to Economic Growth in Nineteenth-Century Mexico." *American Historical Review*, 83:80—100.
Colson, Elizabeth. 1974. *Tradition and Contract: The Problem of Order*. Chicago: Adeline.
David, Paul. 1975. *Technical Choice, Innovation and Economic Growth*. Cambridge: Cambridge University Press.
—1985. "Clio and the Economics of QWERTY." *American Economic Review*, 75:332—337.
Dawkins, R. 1976. *The Selfish Gene*. Oxford: Oxford University Press.
Demsetz, Harold. 1988. "The Theory of the Firm Revisited." *Journal of Law, Economics and Organization*, 4:141—162.
de Roover, Florence E. 1945. "Early Examples of Marine Insurance." *Journal of Economic History*, 5:172—200.
de Soto, Hernando. 1989. *The Other Path: The Invisible Revolution in the Third World*. New York: Harper & Row.
De Vries, Jan. 1976. *The Economy in Europe in an Age of Crisis, 1600—1750*. Cambridge: Cambridge University Press.
Dickson, Peter G. M. 1967. *The Financial Revolution in England: A Study in the Development of Public Credit, 1688 — 1756*. London: St. Martin's.
Eggertsson, Thrainn. 1990. *Economic Behavior and Institutions*. Cambridge: Cambridge University Press.
Ellickson, Robert. 1986. "Of Coase and Cattle: Dispute Resolution Among Neighbors in Shasta County." *Stanford Law Review*, 38:624—687.
—1987. "A Critique of Economic and Sociological Theories of Social Control." *Journal of Legal Studies*, 16:67—100.
Ellickson, Robert. Forthcoming. *Order without Law*. Cambridge, Mass.: Harvard University Press.
Evans-Pritchard, E. 1940. *The Nuer*. Oxford: Oxford University Press.
Fogel, Robert. 1989. *Without Consent or Contract*. New York: Norton.
Frank, Robert H. 1987. "If Homo Economicus Could Choose His Own Utility Function Would He Want One with a Conscience." *American Economic Review*, 77:593—604.
—1988. *Passions Within Reason: The Strategie Role of Emotions*. New

York: Norton.

Fuchs, Victor. 1983. *How We Live: An Economic Perspective From Birth to Death*. Cambridge: Harvard University Press.

Geertz, Clifford. 1979. "*Suq: The Bazaar Economy in Sefrou.*" In C. Geertz, H. Geertz and L. Rosen, *Meaning and Order in Moroccan Society*. Cambridge University Press.

Geertz, C., H. Geertz, and L. Rosen. 1979. *Meaning and Order in Moroccan Society*. Cambridge: Cambridge University Press.

Glade, William P. 1969. *The Latin American Economies: A Study of Their Institutional Evolution*. New York: American Book.

Goldberg, Victor. 1976. "Regulation and Administered Contracts." *Bell Journal of Economics*, 7:416—418.

Hahn, F. H. 1987. "Information, Dynamics and Equilibrium." *Scottish Journal of Political Economy*, 34:321—334.

Hardin, Russell. 1982. *Collective Action*. Baltimore: Johns Hopkins University Press.

Hargreaves-Heap, Shaun. 1989. *Rationality in Economics*. New York: Blackwell.

Hashimoto, Masanori. 1979. "Bonus-Payments, On-The-Job Training and Life Time Employment in Japan." *Journal of Political Econormy*, 87: 1086—1104.

Hayek, F. A. 1960. *The Constitution of Liberty*. Chicago: University of Chicago Press.

Heiner, Ronald. 1983. "The Origins of Predictable Behavior." *American Economic Review*, 73:560—595.

—1986. "Imperfect Decisions and the Law: On the Evolution of Legal Precedent and Rules." *Journal of Legal Studies*, 15:227—262.

Herrnstein, Richard. 1988. "A Behavioral Alternative to Utility Maximization." In S. Maital (ed.), *Applied Behavioral Economics*, Volume I. New York: New York University Press.

Hirshleifer, Jack. 1987. *Economic Behavior in Adversity*. Chicago: University of Chicago Press.

Hoffman, Elizabeth and Matthew L. Spitzer. 1985. "Entitlements, Rights and Fairness: Some Experimental Results." *Journal of Legal Studies*, 14:259—298.

Hogarth, R., and M. Reder (eds.). 1986. "The Behavioral Foundations of Economic Theory." *Journal of Business* (supplement).

Holmstrom, Bengt. 1979. "Moral Hazard and Observability." *Bell Journal of Economics*, 10:74—91.

Hughes, J. R. T. 1987. "The Great Land Ordinances." In D. Klingaman and R. Vedder (eds.), *Essays on the Old Northwest*. Athens: Ohio University Press.

Jensen, M. and W. Meckling. 1976. "Theory of the Firm: Managerial Behavior, Agency Costs, and Capital Structure." *Journal of Financial Economics*, 3:305—360.

Johansson, S. Ryan. 1988. "The Computer Paradigm and the Role of Cultural Information in Social Systems." *Historical Methods*, 21:172—188.

Kahneman, D., J. L. Knetsch and R. H. Thaler. 1986. "Fairness and the Assump tions of Economics." In Robin M. Hogarth and Melvin W. Reder (eds.), "The Behavioral Foundations of Economic Theory." *Journal of Business* (supplement), 59:S285—S300.

Kalt, Joseph p. and Mark A. Zupan. 1984. "Capture and Ideology in the Economic Theory of Politics." *American Economic Review*, 74:279—300.

Klein, Benjamin and Keith Leffler. 1981. "The Role of Market Forces in Assuring Contractual Performance." *Journal of Political Economy*, 89: 615—641.

Knight, Frank H. 1921. *Risk, Uncertainty and Profit*. Boston: Houghton Mifflin.

Kreps, David. Forthcoming. "Corporate Culture and Economic Theory." In James Alt and Kenneth Shepsle (eds.), *Perspectives on Positive Political Economy*. Cambridge: Cambridge University Press.

Lancaster, K. 1966. "A New Approach to Consumer Theory." *Journal of Political Economy*, 74:132—157.

Libecap, Gary D. 1989. *Contracting for Property Rights*. Cambridge: Cambridge University Press.

and Steven N. Wiggins. 1985. "The Influence of Private Contractual Failure on Regulation: The Case of Oil Field Unitization." *Journal of Political Economy*, 93:690—714.

Lopez, Robert S. and Irving W. Raymond. 1955. *Medieval Trade in the Mediterranean*. New York: Columbia University Press.

Lucas, Robert E., Jr. 1986. "Adaptive Behavior and Economic Theory." In Robin M. Hogarth and Melvin W. Reder (eds.), *The Behavioral Foundations of Economic Theory*. *Journal of Business* (supplement), 59: S401—S426.

—1988. "On the Mechanics of Economic Development." *Journal of Monetary Economics*, 22: 3—42.

Macfarlane, Alan. 1978. *The Origins of English Individualism: The Family, Property, and Social Transition*. Oxford: Blackwell.

Machina, Mark. 1987. "Choice Under Uncertainty: Problems Solved and Unsolved." *Journal of Economic Perspectives*, 1: 121—154.

Marglin, Stephen. 1974. "What Do Bosses Do?" *Review of Radical Political Economy*, 6:33—60.

Margolis, Howard. 1982. *Selfishness, Altruism and Rationality: A Theory of Social Choice*. Cambridge: Cambridge University Press.

Milgrom, Paul R., Douglass C. North, and Barry W. Weingast. 1990. "The Role of Institutions in the Revival of Trade: The Law Merchant, Private Judges, and the Champagne Fairs." *Economics and Politics*, 2:1—23.

Miller, Gary. Forthcoming. *Managerial Dilemmas: The Political Economy of Hierarchies*. Cambridge: Cambridge University Press.

Mitchell, William. 1969. *An Essay on the Early History of the Law Merchant*. New York: Burt Franklin Press.

Nelson, Douglas and Eugene Silberberg. 1987. "Ideology and Legislator Shirking." *Economic Inquiry*, 25:15—25.

Nelson, Richard. Forthcoming. "Capitalism as an Engine of Progress." *Research Policy*.

and Sidney G. Winter. 1982. *An Evolutionary Theory of Economic Change*. Cambridge: Harvard University Press.

North, Douglass C. 1955. "Location Theory and Regional Economic Growth." *Journal of Political Economy*, 63: 243—258.

—1981. *Structure and Change in Economic History*. New York: Norton.

—1984. "Government and the Cost of Exchange." *Journal of Economic History*, 44:255—264.

—1986. "Is It Worth Making Sense of Marx?" *Inquiry*, 29:57—64.

—Forthcoming. "Institutions, Transaction Costs, and the Rise of Merchant Empires." In James D. Tracy (ed.), *The Political Economy of Mer-*

chant Empires. Cambridge: Cambridge University Press.

and Andrew Rutten. 1987. "The Northwest Ordinance in Historical Perspecfive." In D. Klingaman and R. Vedder (eds.), *Essays on the Old Northwest*. Athens: Ohio University Press.

and Robert P. Thomas. 1973. *The Rise of the Western World: A New Economic History*. Cambridge: Cambridge University Press.

and Barry W. Weingast. 1989. "The Evolution of Institutions Governing Public Choice in 17th Century England." *Journal of Economic History*, 49: 803—832.

Olson, Mancur. 1965. *The Logic of Collective Action*. Cambridge: Cambridge University Press.

Ostrom, Elinor. 1986. "An Agenda for the Study of Institutions." *Public Choice*, 48:3—25.

Ostrom, Vincent. 1971. *The Political Theory or a Compound Republic: A Reconstruction of the Logical Foundations of Democracy as Presented in the Federalist*. Blacksburg, VA.: VPI, Center for Study of Public Choice.

Pelikan, Pavel. 1987. "The Formation of Incentive Mechanisms in Different Economic Systems." In Stefan Hedlund (ed.), *Incentives and Economic Systems*. New York: New York University Press.

Plott, Charles R. 1986. "Rational Choice in Experimental Markets." In Robin M. Hogarth and Melvin W. Reder (eds.), *The Behavioral Foundations of Economic Theory*. *Journal of Business* (supplement), 59: S301—S328.

Polanyi, M. 1967. *The Tacit Dimension*. Garden City: Doubleday-Anchor.

Posner, Richard A. 1980. "A Theory of Primitive Society, with Special Reference to Law." *Journal of Law and Economics*, 23:1—53.

Riker, William H. 1976. "Comments on Vincent Ostrom's Paper." *Public Choice*, 27:13—15.

Romer, Paul M. 1986. "Increasing Returns and Long-Run Growth." *Journal of Political Economy*, 94:1002—1038.

Rosenberg, Nathan. 1972. *Technology and American Economic Growth*. New York: Harper & Row.

—1974. "Karl Marx on the Economic Role of Science." *Journal of Political Economy*, 82:713—728.

—1976. *Perspectives on Technology*. Cambridge: Cambridge University Press.

Schmookler, J. 1957. "Inventors Past and Present." *Review of Economics and Statistics*, 39:321—333.

Schofield, Norman. 1985. "Anarchy, Altruism and Cooperation: A Review." *Social Choice and Welfare*, 2:207—219.

Schumpeter, Joseph A. 1934. *The Theory of Economic Development: An Inquiry into Profits, Capital, Interest and the Business Cycle*. Cambridge: Harvard University Press.

—1954. "The Crisis of the Tax State." *International Economic Papers*, 4: 5—38.

Scrutton, Thomas Edward. 1891. *The Elements of Mercantile Law*. London: W. Clowes.

Sheehan, S. 1973. "Peas." *The New Yorker*, 49:103—118.

Shepard, Andrea. 1987. "Licensing to Enhance Demand for New Technologies." *Rand Journal of Economics*, 18:360—368.

Shepsle, Kenneth A. 1986. "Institutional Equilibrium and Equilibrium Institutions." In Herbert Weisberg (ed.) *Political Science: The Science of Politics*. New York: Agathon Press.

—1989. "The Changing Textbook Congress." In John E. Chubb and Paul E. Peterson (eds.), *Can the Government Govern?* Washington, D. C.: Brookings Institution.

and Barry W. Weingast. 1987. "The Institutional Foundations of Committee Power." *American Political Science Review*, 81:85—104.

Simon, Herbert. 1986. "Rationality in Psychology and Economics." In Robin M. Hogarth and Melvin W. Reder (eds.), *The Behavioral Foundations of Economic Theory. Journal of Business* (supplement), 59: S209—S224.

Skocpol, Theda. 1979. *States and Social Revolutions: A Comparative Analysis of France, Russia and China*. Cambridge: Cambridge University Press.

Sokoloff, Kenneth L. 1988. "Inventive Activity in Early Industrial America: Evidence From Patent Records, 1790—1846." *Journal of Economic History*, 58:813—850.

Stubbs, William. 1896. *The Constitutional History of England*, Volume II.

Oxford: Clarendon Press.

Sugden, Robert. 1986. *The Economics of Rights, Cooperation, and Welfare*. Oxford: Blackwell.

Taylor, Michael. 1982. *Community, Anarchy and Liberty*. Cambridge: Cambridge University Press.

—1987. *The Possibility of Cooperation*. Cambridge: Cambridge University Press.

Tracy, James D. 1985. *A Financial Revolution in the Hapsburg Netherlands: Renten and Renteniers in the County of Holland*. Berkeley: University of California Press.

Udovitch, Abraham. 1962. "At the Origins of the Western *Commenda*: Islam, Israel, Byzantium?" *Speculum*, 37:198—207.

Veitch, John. 1986. "Repudiations and Confiscations by the Medieval State." *Journal of Economic History*, 56:31—36.

Veliz, Claudio. 1980. *The Centralist Tradition in Latin America*. Princeton: Princeton University Press.

Wallis, John J. and Douglass C. North. 1986. "Measuring the Transaction Sector in the American Economy, 1870—1970." In S. L. Engerman and R. E. Gallman (eds.), *Long-Term Factors in American Economic Growth*. Chicago: University of Chicago Press.

Watts, R. L. and J. L. Zimmerman. 1983. "Agency Problems, Auditing and the Theory of the Firm: Some Evidence." *Journal of Law and Economics*, 26:613—633.

Weingast, Barry W. and William Marshall. 1988. "The Industrial Organization of Congress; or, Why Legislatures, Like Firms, Are Not Organized as Markets." *Journal of Political Economy*, 96:132—163.

Williamson, Oliver E. 1975. *Markets and Hierarchies: Analysis and Antitrust Implications*. New York: Free Press.

—1985. *The Economic Institutions of Capitalism*. New York: Free Press.

Winter, Sidney G. 1986. "Comments on Arrow and on Lucas." In Robin M. Hogarth and Melvin W. Reder (eds.), "The Behavioral Foundations of Economic Theory." *Journal of Business* (supplement), 59:S427—434.

Yamey, B. S. 1949. "Scientific Bookkeeping and the Rise of Capitalism." *Economic History Review*, Second Series, 1:99—113.

图书在版编目（CIP）数据

制度、制度变迁与经济绩效/（美）道格拉斯·C.诺思著；杭行译.—上海：格致出版社：上海人民出版社，2016.8
（世纪中国论坛典藏文库）
ISBN 978-7-5432-2650-0

Ⅰ.①制… Ⅱ.①道… ②杭… Ⅲ.①制度经济学 Ⅳ.①F091.349

中国版本图书馆CIP数据核字（2016）第172080号

责任编辑 钱 敏
装帧设计 陈 楠

·世纪中国论坛典藏文库·

制度、制度变迁与经济绩效

［美］道格拉斯·C.诺思 著
杭行 译 韦森 译审

世纪出版股份有限公司 格致出版社
世 纪 出 版 集 团 上海人民出版社 出版

（200001 上海福建中路193号 www.ewen.co）

上海世纪出版股份有限公司发行中心发行
上海中华印刷有限公司印刷
开本720×1000 1/16 印张14.25 插页4 字数186,000
2016年8月第1版 2016年8月第1次印刷
ISBN 978-7-5432-2650-0/F·949
定价 50.00元

本书经授权译自英文版 *Institutions, Institutional Change and Economic Performance*

ISBN：978—0521397346

道格拉斯·C. 诺思 著

Cambridge University Press 1990 年出版

本书中文简体字版由剑桥大学出版社授权格致出版社合作出版

上海市版权局著作权合同登记号:图字 09—2005—642